かくて歴史は始まる

渡《わた》部《なべ》昇《しょう》一《いち》

まえがき

〝特異現象〟としての「白人」文明

『西洋の没落』の著者であるオズワルド・シュペングラーについて、恩師である故ヨゼフ・ロゲンドルフ先生と話しあう機会があったのは、まだ先生がお元気で、上智大学にご在職中のころであったから、十数年も前のことになる。

その後、あらためてシュペングラーを勉強しなおして、この人の洞察こそは、西洋の勃興《ぼっこう》と、いわゆる「白人」と言われる近世以降のヨーロッパ人やアメリカ人の精神的特質を説《と》き明かしてくれる最善のもの、と確信するようになった。

シュペングラーの本の表題は、『西洋の没落』であるが、本当のところ、その内容は『西洋の勃興』になっている。没落《ウンターガング》でなくて、勃興《アウフガング》であると理解したときに、世界史における近世の「白人」という特異な存在が正しく理解できると思う。

コロンブス以来、世界史の主流を形成するに至った、いわゆる「白人」の活動を世界史的特異現象と観《み》ることなしに、それ以降の世界中の出来事は説明できない。その白人は、デカルトやニュートンといった思想家を産み、産業革命を起こし、フランス革命を起こし、ナポレオンやネルソンやモルトケといった名将を産み、アメリカを作り上げ、世界中の非白人国を植民地化した。

とくに、十九世紀になってからの白人の力は、まさに圧倒的であって、これに対抗できる有色

人種などは、どこにもいなくなってしまった。

やや誇張した言い方をすれば、「白人」と有色人種との間には、深淵があり、その深さは類人猿と有色人種とを分かつ深淵と同様、越えがたきものがあると思われていたのである。

人種間の壁を越えた日本人

シュペングラーは、その「白人」の極盛期、つまり第一次世界大戦（一九一四〜一八年）の前に、彼の本の構想を得た。そこが彼の偉いところであるが、彼の関心はあくまでも西欧にあって、アメリカやロシアはほんの付け足りである。日本については、脚注に二、三度出てくるぐらいのもので、まったく関心の外にあった。

しかし、この「白人」と有色人種との間の深淵が、越えられるものであったことを自ら示したのは、まさに日本人、そして日本人以外の何者でもなかったではないか。

今年（一九九二年）のはじめに、フランシス・フクヤマの『歴史の終わり』（三笠書房刊）を訳出した。したがって、この大著の隅《すみ》から隅まで精読する機会があったのであるが、その印象は「フクヤマ氏の書いていることはすべて正しいが、これは〝白人史観〟である」ということであった。

フクヤマ氏も、ベルリンの壁崩壊以前に『歴史の終わり？』という論文を書いた天才的洞察の人である。彼の史観を理解することなしに、今の世界の教養階級の会話に加わることはむずかしい

と言えるくらいだ。しかし、ここでも「白人」という特異現象を、その特異現象の中で書いているために、「白人」独特の思考法が世界に広まるということの意味が充分に意識されていない。「白人」の科学文明や近代的制度が、非白人にも拡《ひろ》がりうるものであることを実証したのは、まさに日本人、そして日本人以外の何者でもなかったのではないか。

「世界史における日本人の意味」とは

今回の本の中で、私が意図したことは、シュペングラーやフクヤマの白人史観に抜けていた「人種」という問題、とくにコロンブス以来の「白人」は、人類の歴史の上で特異現象であるという視点から、ここ数百年の歴史を、虹を眺めるように眺めてみようということであった。別の言い方をすれば、本書は「世界史における日本人の意味」といったようなものである。

自分の国の歴史を書くことは、弁護士が自分の依頼人のための弁論をするようなものである。そこに虚偽があってはならないが、「言い分」の筋は通さねばならない。各国にはそれぞれの「国史」があって、それぞれその国の「言い分」があってよい。

戦後の日本は、相手側の言い分だけを尊重し、自分の依頼人《クライアント》の言い分を故意に無視する弁護士みたいな歴史家が横行し、しかも、それが公平な史観であるかのごとく錯覚した時代である。

弁護士が自分の依頼人の言い分を無視して、相手側と通じ、その言い分に有利な発言をすれば、それは刑事的犯罪であり、弁護士資格は褫奪《ちだつ》される。つまり取り上げられる（去年も、そん

な事件があった）。敗戦後の日本の歴史家には、弁護士資格を取り上げられてしかるべきであるような人が少なくなかった。

本書の中で私が述べているのは、コロンブス以降の人種問題を背景にした「日本の言い分」である。

アメリカにはアメリカの、イギリスにはイギリスの、シナにはシナの言い分があろう。それは、その国の歴史がその「言い分」を書けばよい話であり、実際に書かれてきている。そこに使われている史実が虚構のものでなければ、それでよいのだ。どの国の史観が正しいかは、数百年も経《た》ってみないと分からない、というのが歴史なのである。

古代地中海の覇権を相争ったローマとカルタゴにしても、ローマにはローマの、カルタゴにはカルタゴの言い分があったであろう。しかし、歴史の問題としては、その後のヨーロッパ史はローマ文明のほうに流れたという事実が残ったのである。どちらの国の言い分が正しかったか、などということは問題にならない。

だが、ローマ史の歴史家が、カルタゴの言い分ばかり取り上げてローマ史を書いたら、それはローマ人ではない。歴史を書くということは、そういうことではないか。

本書は長い間の友人であった打田良助氏が独立し、新社を始めることもあって、急ぎ書き下ろしたものである。それだけに内容は、以前から私の頭の中に強い印象としてあったもの、つまり

明瞭な虹として見えていたものばかりである。

本書の性格上、史料の引用などは極度に抑《おさ》えているが、言及していることは、いずれもしかるべき典拠のあるものである。それでも予期せぬ、事実上の誤りがあるかもしれないが、その点については博雅《はくが》の士のご高示をいただければ幸いである。

また、原稿の整理にあたっては、前にもお世話になった佐藤眞氏のご協力を得たことを記して、感謝のしるしとしたい。

平成四年十月

渡部《わたなべ》昇一《しょういち》

【付記】 本書中、「シナ」と「中国」とは、区別して用いた。「中国」は中華人民共和国、あるいは中華民国の略称と解すべきであって、地理的、文化的概念としては用いるには不適当である。地理的概念、あるいは諸王朝を通じての民族・文化的概念を指す場合には、英語の「チャイナ」に相当する「シナ」の語を用いた。東夷《とうい》、西戎《せいじゅう》、北狄《ほくてき》、南蛮《なんばん》といった蔑称《べっしょう》に対する概念として用いられる「中国」という美称は、日本においては拒否されるべきである。

また、コリアとあるのは、主として現在の北朝鮮、大韓民国の双方を含んで述べる場合や、地理的概念として言う場合に用いた。

〈目次〉

第五章　「敗戦」という名の逆説《パラドックス》

本文写真提供　毎日新聞社
共同通信社
ＰＰＳ

第一章　〝虹〟としての日本

――「水玉史観」では、歴史の本質は摑《つか》めない

「水玉の研究」では分からない歴史の真実

歴史とは虹のごときものである――このことを私に悟《さと》らせてくれたのは、ある言語学者のエッセイであった。

だいぶ昔のことになるが、ロンドンの大英博物館の近くにある小さな古書店で、オーウェン・バーフィールドという言語学者の書いた一冊のペーパーバックを私は偶然に見つけた。

このバーフィールドという人は、専門書のカタログにはあまり出てこない名前である。しかし、私は三十数年前に、彼の著《あら》わした英単語の歴史に関する本を、これもやはりオクスフォードの小さな古書店で偶然に見つけ、『英語のなかの歴史』というタイトルで訳した経験があった(土家典生・共訳。中央公論社・昭和五十三年。現在、中公文庫)。

しかも、この本は私の言語史に対する考え方に大きな影響を与えたものであったから、バーフィールドという人に敬意を抱いていた。

それで、私は新しく見つけた、この薄っぺらなペーパーバックもさっそく買い求め、大切にかかえてラッセル・スクエアにあるホテルに戻って、読み始めたのである。

その最初のほうに、こういう趣旨のことが書いてあった。

「歴史というものは虹のようなものである。それは近くに寄って、くわしく見れば見えるというものではない。近くに寄れば、その正体は水玉にすぎない」

この文章にぶつかった時、私はそれまで歴史というものに関して何となくモヤモヤしていたものが、一挙に整理され分かったような気がした。

たしかに、虹というものは普通の存在とは違う、別種のものである。

誰もが虹を見たことがあり、それが存在するという事実を知らない人はいないであろう。しかし、その正体を調べようとすれば、分からなくなってしまうのが虹なのである。

それは遠くから見えてはいても、近づいて検証しようとすれば、そこには単なる水玉しか存在しないのである。これはいったい、どういうことであろうか。

バーフィールドは、ゲーテの『色彩論』のほうが、ニュートンの『光学』よりも虹の現象をよく説明するとしている。

ニュートンが光を客観的物理現象としてのみ分析したのに対して、文学者でもあるゲーテは、「色彩は、その色を見る人間があって、はじめて成立する」という視点を導入し、天然色を扱う現代の光学の基礎を作った。

これを歴史に例《たと》えてみると、なるほどと思い当たることが多い。

虹は、見る人から一定の距離と角度を置いた時に初めて、明瞭に見える。逆に言えば、その距離と角度が適当でなければ虹は見えない、ということなのである。

同じ時間に空を見ていながら、虹を見なかったという人は、いた場所が悪かったか、あるいは

虹に近すぎたからに外《ほか》ならない。

そして歴史における水玉というのは、個々の歴史資料や個々の歴史的事実といったものであろう。だが、こういった歴史的事実を集めてみても、その観察者の立っている場所が悪ければ、歴史の実像は、いっこうに見えてはこないのである。

見る側の人間がいなければ、虹と同様で「歴史」は存在しない。いわゆる客観的なものは個々の「史実」だけであり、それはあくまでも虹における水滴のごときものなのである。

それはたとえば、この前の戦争、すなわち第二次世界大戦の歴史を考えてみれば分かるであろう。

日本人は「バカの集団」だったのか

第二次世界大戦に関しては、その虹の水玉一滴一滴をすべて数えられるほどに、私たちは情報を持っている。

参戦国の政策決定に関する内部文書、当時の政権担当者たちの詳細な日記、新聞・雑誌の記事、さらには戦争で死んでいった兵士たちの遺書までが出版され、容易に入手することができる。読者の中にも、そのような精細な記録の一部を読まれた方は多いであろう。

もちろん、そういった記録を読めば、あの戦争がいかに日本にとって勝ち目のないものであっ

たかは、誰の目にもよく分かる。また、その勝ち目のない戦争を指導していた当時の軍部や政府がいかに無能の集団であったかも、同じ日本人として一種、歯がゆいくらいの思いがするほど、よく分かるのである。

だが、そのような記録を読めば読むほど、「なぜ日本人全体が、あのような勝ち目のない戦争に平気で突入したのか」という疑問ばかりが湧《わ》いてきてしまうのは、どうしてであろうか。そして、この疑問に答えてくれるような、専門家はなぜ少ないのであろうか。

もちろん、「あの当時の日本人は、バカの寄せ集めだったから、無謀な戦争を始めたのだ」と単純に決めつけて満足していた人が戦後多かったのは、よく知っている。また、そういう決めつけに終始するような〝歴史書〟も、たくさんある。

しかし、そのような単純な結論では問題の解決にならないことは、誰でも分かることだ。

第一、そんなに「バカな日本人」なら、どうして戦後、わずか数十年で経済や技術などの重要な面で世界のトップに立つような奇跡をなしとげられるというのか。それとも、終戦を境に、日本人はまったく別の民族になってしまったのであろうか。

それは、おとぎ話としては面白いかもしれないが、理性的な結論とは言えないであろう。

やはり、日本がなぜ戦争に突入したのかに関して、今日のわれわれが納得できる説明が必要なのであり、それが歴史における虹を見せるということではないのだろうか。

そして、これは〝水玉〟を一生懸命に見つめていたところで、答えが出てくるというものでもないだろう。なぜなら、この問題に関しては、少なくとも明治維新前後から現代に至るまでの日本史と世界史を見通さねば、その答えは分からないと思えるからである（この問題に関する、私なりの答えは、後章できちんと述べるつもりである）。

繰り返すが、いくら歴史的事実を山のように積んでみても、全体像としての歴史、つまり〝虹〟はなにも見えてはこない。やはり、距離と角度が必要なのだ。

用明《ようめい》天皇とコンスタンチヌス大帝の共通点とは

そういえば、私が歴史に本当に興味を持ったのも、一九五〇年代の中頃、ドイツに留学していたころであった。

考えてみれば、日本とは距離的にも文化的にも充分遠いところにいたわけであるが、そのことが私をして、日本という国を、また日本という国の歴史を、あたかも虹を見るように見させたのではないか、と思う。

留学生は誰でも、日本についていろいろなことを聞かれたりする。

それに答えたりするために、日本から持っていった辻善之助《つじぜんのすけ》博士（日本史学者。『日本文化史』などの著者）の本やら年表などを参考にしたが、その時にしばしばドイツ人に聞かれて、それま

で私は考えたこともなく、また日本の歴史書でも読んだことがない問題があるのに気がついた。それは、「日本では仏教徒になった天皇はいないのか。いたとしたら誰なのか、また、いつなのか」ということであった。

たしかに、私はそれまでそういうことを問題意識に乗せたことがなかった。もちろん、専門の学者の中には、事実としてこの問題を知っている人はいたであろう。

だが、それを国家の歴史の根幹に関わる大事件であると意識して歴史書を書いた人はおそらくいなかったのではないか。したがって、われわれの問題意識にもなかったのではなかろうか。

事実、年表を見ると、最初に仏教徒に改宗された用明《ようめい》天皇の名前はごく小さな字で書かれているが、その歴史的な意義や影響力については、何一つ触れられていない。

そこで、私は仏教と日本の古来の宗教・神道《しんとう》についての関係に目を開かれる思いがし、これが外国であったならば超重大事件であることに気がついた。

それはローマ史でいうならば、コンスタンチヌス大帝のキリスト教容認（三一三年）――コンスタンチヌス自身がキリスト教の洗礼を受けたのは、死の直前の三三七年五月であった――にも相当する大事件であり、年表には、当然、特太のゴシック文字で書かれるべき出来事である。

事実、このキリスト教容認を宣言したミラノ勅令《ちょくれい》によって、キリスト教は世界宗教となる運命を約束されたし、今日のヨーロッパの歴史がここでスタートした。そして、この勅令を出した

ことで、ローマ帝国自身、まったく違うコースを歩むようになったことも、どんな歴史書にも特筆されているのである。

それなのに日本では、このコンスタンチヌス大帝にも相当する人物の名前を普通の人は知らないではないか。この事実に気がついたとき、私は日本の歴史の特殊性に目を見開かされる思いがしたのであった。

日本から、物理的・心理的に距離を置くことによって、このような事実にいろいろ気づかされ、それが『日本史から見た日本人・古代編』（祥伝社刊）という私の著作につながったのだが、考えてみれば、あの一連の本（同『鎌倉編』『昭和編』）は、すべて〝日本史という虹〟を書こうという情熱に支《ささ》えられていて生まれたのだと、今さらながら思うのである。

歴史に虹を見た頼山陽《らいさんよう》

歴史は虹で、資料は水玉である——こう見た時に、たとえば幕末に頼山陽《らいさんよう》（左ページ注）の『日本外史《にほんがいし》』が果たした意味も、よく分かるのではないだろうか。

頼山陽の『日本外史』は、江戸時代後期の日本人で、およそ漢文が読めるような人間なら誰でも読んだほどの歴史書であるが、おそらく、戦後、日本史の専門家で、これを通読した経験があるという人は、ほとんどなくなったようである。

私が尊敬する代表的な江戸学者の一人に、最近お会いしたとき話題に出たのだが、この方も『日本外史』は読んだことがないということであった。

私はたまたま、かねてから『日本外史』を愛読しており、しかも、つい最近ドイツに滞在している間にも再度通読したのだが、「やはり頼山陽の『日本外史』は虹を書いているのだ」と痛感させられた。

もちろん『日本外史』は膨大な本であり、史実的にも、これほど多くの固有名詞が詰まっている歴史書は少ない。それは、虹が水玉でいっぱいになっているのと同様なことであり、同時に、ここが最も肝心な点だが、頼山陽は明らかに特別な視点から、特別な距離を置いて日本史を見ているのである。

人間は誰でも、自分の住んでいる時代のことを絶対視しがちである。イギリス人は王室と議会の共存を当然のことと思い、アメリカでは連邦制度・大統領制を当然と思い、また共産主義ある

●**頼山陽**――江戸後期の史家。二十一歳で広島藩を脱藩。捕らえられ、二十四歳まで自宅監禁になる。この間に『日本外史』の草稿執筆が始まったとされる。漢詩人としても名高く、日本史を漢詩で綴《つづ》った『日本楽府《にほんがふ》』がある。なお、渡部による『日本楽府』の評釈『日本史の真髄』（全三巻）が、ＰＨＰ研究所から刊行中。

いは社会主義を絶対視した国も、つい最近までいっぱいあった。これは人間の通弊《つうへい》であろう。

だが、自分が現に住んでおり、しかもその体制が何百年も続いていて、すべての人が体制を絶対視している時代に、その当然とされたものを相対化できるとするならば、その人は特別な知力の持ち主、〝虹〟を見ることのできる人だと言わざるをえない。

頼山陽は、まさにそういう人物だったと思うのである。

彼は江戸時代という、日本史上、最も安定した時代、変化の最も少ない時代に生きてきた。その当時の人にとっては、将軍家は絶対であり、その下に大名が位置していた。武士、領民にとって絶対の存在であった大名すら、将棋の駒《こま》のごとく転封《てんぽう》することができるような将軍家というものは、それこそ想像に絶した尊い存在として考えられて当然であった。

よく、第二次大戦においてスターリンやヒトラーは絶対視されたなどと言うが、それとは比較にならぬ重さが徳川将軍にはあったのである。

なにしろ江戸幕府は、頼山陽のころ、すでに二〇〇年の歴史があり、当時の日本人にとって、その権威を畏《おそ》れる感覚は一種の本能になっていた。

『日本外史』が徳川家を相対化した

ところが、頼山陽は『日本外史』を書くことによって、徳川将軍家の権威を相対化してしまっ

たのである。

まず、彼は徳川家康ではなく、源氏の時代から『日本外史』を書き起こした。

源頼朝《みなもとのよりとも》が史上最初に幕府を開いた将軍だったのだから、武家政治の歴史を書く場合、そこから始めるのは当たり前のように今日の読者には思われるかもしれない。

しかし、源氏から歴史を書きはじめるということになると、徳川氏は源氏、足利《あしかが》氏など、歴代の将軍位を与えられた武家と並列されて書かれることを意味する。実際、頼山陽は「みんな将軍なのだ」という建て前から書き、徳川氏だけを別格にして書かなかった。

だから、これを読み進めば、ひとり徳川氏だけが歴史上、将軍として特別の地位にあるわけではないということが、読者の目に自然と明らかになってくる仕組みになっているのである。

もちろん、徳川時代に生きた人間として、頼山陽は徳川氏についてはきわめて注意深く、膨大《ぼうだい》な紙数を費《つい》やしている。しかも家康、その他の徳川家の人物の活躍に対しては批判的表現は完全に抑《おさ》え、むしろ手柄《てがら》話を讃《たた》えるという形で書いている。

ところが、家康を指す時には、東照神君《とうしょうしんくん》や家康公という尊称を用いず、その時その時の朝廷から与えられた位《くらい》で書いているのである。

これが、頼山陽が『日本外史』を書くときに狙《ねら》った、第二のポイントであった。

たとえば、家康が少将の時は、「少将殿は、かくなされた」と書いている。後に偉くなって内《ない》

大臣《だいじん》になれば、「内府《ないふ》は」という主語で始まる。将軍になれば、「将軍は」と書く。そして、将軍職を秀忠《ひでただ》に譲ってからは、「前将軍は」というのが主語になるのである。

家康を褒《ほ》めまくってはいるものの、結局、家康にその官位を与えた朝廷の権威が、読者に自然に伝わってくるように『日本外史』は書かれている。

白河楽翁《しらかわらくおう》（松平定信《まつだいらさだのぶ》、先の老中筆頭）に『日本外史』を献呈したときにも頼山陽は、その献辞の中で、朝廷を指すときに、わざわざ改行して、しかも二字分上げて書いているが、同時に、自分を指すときには一字下げ、楽翁を指すときには行を更《か》え、幕府を指すときには改行し、一字上げて書いた。だから、これに対して、楽翁は一言も文句をつけることはできなかった。

頼山陽はこういう書き方をすることによって、完全に相対化された、朝廷の家臣としての家康という〝虹〟を読者に見せたのである。

明治維新を成立させた歴史書の意義

維新の志士たちが、尊王攘夷というアイデアの基本を頼山陽の『日本外史』から採《と》ったというのは、よく言われることだが、『日本外史』のどこか特定の個所から影響を受けたというよりも、徳川家を一将軍家、一朝臣《ちょうしん》として相対化するという視点から、そのアイデアを得たというのが実際のところであっただろう。

日本外史巻十八

徳川氏正記

徳川氏一

我徳川氏。出於新田義重。義重者。清和天皇八世裔也。天皇之孫經基。始賜姓源氏。降爲武臣。其玄孫義家。義家子義國。居上野。食新田足利諸邑。生義重及義康。義重氏新田。義康氏足利。共助宗子源頼朝。以王命討滅平氏。頼朝爲征夷大將軍。開府關東。令義重守寺尾城。義重有五男。其第四曰義季。義季食徳川邑。因氏焉。稱徳川四郎。義季生頼氏。頼氏敘從五位下。任參河守。食世良田。因又號世

▲▶頼山陽《らいさんよう》の「日本外史」は、徳川時代を終わらせ、明治維新を導《みちび》いた

さらに頼山陽は『日本政記《にほんせいき》』という、『日本外史』よりずっと小さい日本通史を同じ視点から書いた。維新の志士で、明治政府の中心になった伊藤博文《いとうひろぶみ》も、『日本政記』のほうが志士のあいだで、よく読まれたと言っている。小著なだけに忙しい志士には向いていたのかもしれない。

徳川家を相対化し、その上には別の王朝（皇室）がずっと続いていたのだ、ということを意識させたということ――これが浦賀《うらが》に黒船が来た時に、それ以前に白人に押しかけられた他の国々とは違った反応を、日本が示すもとになったのではないかと私は思っている。

つまり、『日本外史』を読むことによって、読者みんなに王政復古という政治改革の方向が虹のごとく明らかに見えたのである。一冊の歴史書によって、歴史そのものの動きを変えた頼山陽の功績は、空前絶後と言ってもいいのではないだろうか。

したがって、頼山陽の『日本外史』の個々の叙述を、今日の史料的研究などから、「名前を書き間違っている」とか、「正確でない」と指摘するのは、それ自体は文献学として尊《とうと》ぶべきものだろうが、それによって、彼の功績を正当に評価しないというのは、「水玉の研究でなければ、虹の研究ではない」と言っているに等《ひと》しいのである。

〝虹〟としての日本

戦後の日本の歴史学においては、専門史料を扱う人が歴史の専門家とされる傾向が一段と強ま

った。それはまた、当然のことであろう。私自身も、自分の専門分野（英語学）では水玉に相当することを中心にやってきたと言ってもいい。

しかし、戦後に出版された、日本史についての書物を読む時に、私はいつも不満を感じるのである。

それは、「この著者は、最初から虹を見ようとしていないのではないか」という不満であるし、また、かりに著者なりの虹を書いていたとしても、「虹の見方が間違っているのではないか」、「あらぬ方向に虹を求めているのではないか」という不満である。

そこで私は、私に見える「日本という名の虹」の全体像を、本書で紹介してみたいと思う。当然のことながら、それは水玉の研究ではないから、個々のことに関する史料はそれぞれの専門家に委《ゆだ》ねるべきであろう。

しかし、それと同時に、専門家がその水玉を累積しただけでは、かならずしも見えない「虹」が、ある距離を隔《へだ》てて、ある視点に立ったとき、はっきりと見える、ということを伝えたいと思うのである。

では、日本という名の虹を見るのに適当な距離とは、どのぐらいのものであろうか。

それは時間的に言って、五〇〇年前、すなわち世界史においてはコロンブスがアメリカ大陸を

発見したころから始めるのが適切なのではないかと思う。そして、虹のもう一方の端を、私は二十二世紀から二十三世紀に置いてみたい。

その具体的な理由については、読み進むうちに自然と理解されるであろうから、今は言わないが、少なくともこの程度の時間的規模で見なければ、歴史という大きな虹は見えてこないことは、ご理解いただけるであろう。

では、まず虹の一方の端、すなわち五〇〇年前ごろの日本から、歴史を語りはじめてみたい。

第二章

啓蒙《けいもう》君主・信長《のぶなが》の遺産

――〝日本的ファウスト精神〟は、いつ生まれたか

(1)世界史を変貌させたゲルマン精神の真実

明治に〝酔った〟徳富蘇峰《とくとみそほう》

なぜ、五〇〇年前から私の〝虹〟は始まるのか――その第一の理由は、日本史ではおおよそ織《お》田信長《だのぶなが》の時代に当たるからである。

そもそも、信長の時代から現代日本を考えるという視点を最初に発見したのは、徳富蘇峰《とくとみそほう》（評論家・ジャーナリスト。一八六三～一九五七年）ではなかったか。

私は学生時代に、恩師・佐藤順太《さとうじゅんた》先生から刺激を受けて、徳富蘇峰の『近世日本国民史』を手に入れて、通覧したという体験を持っている。

蘇峰は、戦後、人が言及することを憚《はば》かる人物であり、歴史家としての蘇峰の再発見について書いたのは、おそらく私の「真の戦闘者・徳富蘇峰」（『正論』昭和四十九年十一月号掲載。文藝春秋刊『腐敗の時代』所収）が、おそらく最初のものの一つではなかったかと思われる。

蘇峰という人物の歴史家としての偉大さに注目した佐藤順太先生の眼力には、今さらながら敬

服するが、事実、蘇峯の『近世日本国民史』ほど驚くべき歴史書は、やはり世界を見回しても稀れなのではないかと思われる。

五十何歳かになった徳富蘇峯は、死ぬ前に何よりも明治史を書きたいと思った。彼は明治の少し前に生まれ、明治時代を生きた人物である。そして、明治維新政府の大物の多くとも個人的に親しかった。また、彼の言論人としての地位（民友社社主として、雑誌「国民之友」、「国民新聞」を創刊）から、諸大名家の未公開の文書も例外的に自由に読ませてもらう機会があった。

そうしているうちに彼は、明治時代ほど日本の歴史、あるいは人類の歴史において注目すべき時期はないと確信するに至り、明治時代に酔うに至ったのである。

明治時代を考えるたびに、明治時代自体に酔うような感激を覚えたということを徳富蘇峯は書いているが、この一事をもってしても、彼の歴史家としての素質がうかがわれるであろう。

「日本の現代は、信長に根ざす」

だが、それにもまして重要なのは、明治時代を書くにあたって、その前の時代とのつながりを書かなければ、明治時代そのものが浮き上がってこないと考えた点にある。

そこで、まず幕末の孝明《こうめい》天皇時代史を書く。ところが、孝明時代史の前には徳川時代があっ

て、その間の諸々の動きが分からないと孝明天皇の時代が分からない。そこで、徳川時代史を書く。もちろん、徳川時代の前には太閤《たいこう》秀吉がおり、秀吉の前には信長の時代があるわけで、彼はどんどん時代を遡《さかのぼ》っていった。

究極的には、おそらく戦国時代、あるいは後醍醐《ごだいご》天皇の建武《けんむ》の中興《ちゅうこう》（一三三四年）あたりから書けば、明治維新までの流れがよく分かるということを確信するに至ったが、それではいっこうに埒《らち》があかない。

そこで彼は、日本の近世の始まりを「信長の時代」とし、そこから『近世日本国民史』を始めたのである。

これだけで、じつに五〇巻にのぼる膨大《ぼうだい》な著書であり、学術的にも優れ、進行の途中で（一九三七年）、日本学士院賞さえも受賞するような立派な研究であった。

この五〇巻が、明治維新の序論であったことに私は驚かされたのであった。どこの世界に序論を五〇巻、それも各巻が三百何十ページもあるようなものを書く人がいるであろうか。だがそれは、まさに明治史を書くための序論であった。

明治史が分かるためには、信長から分からなければいけない、ということを最初にはっきり分かった人間、歴史家として、私は蘇峯を高く買った。それが私の蘇峯再発見の記（「真の戦闘者・徳富蘇峯」）であり、この論文については山本夏彦《やまもとなつひこ》先生もしばしば言及してくださって、当時、

若い私を感激させたものであった。

日本の現代は明治に根ざし、明治は信長に根ざす。この系列を見た時に、われわれは何が信長の時代に起こっていたのか、その本質は何か、ということをあらためて考えてみなくてはならない。

武器の歴史は〝停滞の歴史〟

そこでまず、「信長の時代」の日本人の特色を見るための、客観的なメルクマール（指標）として、鉄砲を採《と》りあげたいと思う。

というのは、鉄砲こそが、それまでの武器とまったく性質を異《こと》にしたものであり、その画期的な武器に対する適応性が、それぞれの民族の特性を示す物差しになりうると思うからである。

鉄砲という武器の第一の特色は、何といっても、それが絶え間なく改良され、性能を向上させていったという事実にあるであろう。それ以前の武器で、これほど改良に改良を加えられていったものは、見あたらない。

別の言葉で言い換えれば、鉄砲以前の武器の歴史は、停滞の歴史でもあった。

日本刀を考えても分かるように、武器というものはきわめて速《すみ》やかに完成に向かうものである。日本でも神代《しんだい》とか上代においては、剣《つるぎ》は直刀《ちょくとう》であった。しかし、それでは実戦には不向き

なので、少し反《そ》りを入れるようになった。

そして、鎌倉時代に五郎入道正宗《ごろうにゅうどうまさむね》などという人が出てくると、もはや正宗の刀を本質的に改良しようということは考えられなくなった。すなわち、それが完成の頂点であって、後はそれに従うだけであり、槍《やり》でも弓でも、だいたい鎌倉期までに完成したと考えて、ほぼ間違いがない。

武器の目的が、相手を倒すという一点に集約されている以上、これは当然のことと言ってい い。

日本刀も、敵を倒すのに必要充分な性能が得られた時点で、改良の必要がなくなった。やや乱暴な言い方をすれば、切れ味がいかによかろうと悪かろうと、相手が倒れればそれでいいのだから、それ以上の改良を望む武士はいないのである。もちろん、鎌倉以降にも日本刀は変化したが、五郎正宗を超えて進歩しつづけたとは言いがたい。

だが、これは武器に限った話ではない。

どんな実用技術でも、必要充分の性能や機能が得られるまでは、技術はかなり速《すみ》やかに進歩するものの、そこに達すれば改良しようということは起きなくなる。樋口清之《ひぐちきよゆき》先生（考古学者）の著書で読んだ話だが、現在も用いられている筵《むしろ》の編み方は、弥生《やよい》時代あたりからほとんど変わっていないという。

かつてマックス・ウェーバー（ドイツの社会学者。一八六四〜一九二〇年）などは、アジアの文

明、ことにシナ文明において、古代に高いレベルに到達していながら、その後停滞し、いっこうに進歩、変貌していない事実に着目して、これを〝アジア的停滞性〟と呼んだ。だが、これは何もアジアに限った話ではなく、洋の東西を問わない傾向と言ってもいい。

鉄砲発明を解く鍵

ただ、ここに例外が現われた。

これが、中世以降の西ヨーロッパ人、分かりやすく言えば〝白人〟であり、彼らが発明した鉄砲であった。

彼ら白人の世界にも、もちろん刀や槍、弓矢はあった。ところが、彼らがシナやローマの民族と違ったのは、その従来の武器の性能に飽きたらず、もっと高性能な武器を求め、しかも実際に造ってしまったことにある。

また、白人たちの鉄砲は、従来の技術のように停滞することなく、より長い射程距離、より強力な殺傷能力を求めて、その改良が続けられたのである。この点においても、鉄砲は従来の歴史法則を打ち破っていた。

もちろん、鉄砲の基本技術のひとつである火薬の発明はシナにもあり、他の文明にもすでに伝わっていた知識であった。しかし、白人が登場するまで、誰一人としてそれを刀に代わる武器と

して実用化しようとは思わなかった。たしかに幼稚な大砲のようなものは造られたが、造られただけで日進月歩しない点では、ほかの武器と同じであったと言えよう。なぜなら、敵を倒すには、従来の刀や槍で充分だったからだ。

ではなぜ、彼らは従来の武器で満足できなかったのか。そして、取り憑《つ》かれたように改良を重ねたのか。

それを解く鍵として、彼らの文明の持つ独特な精神、正確に言えば無限の衝動的欲求に注目したのは、オスワルド・シュペングラー（ドイツの思想家。『西洋の没落』の著者。一八八〇～一九三六年）であった。彼は、十一世紀以降、ライン川の南、ロア川の北あたりを中心として起こったゲルマン民族の民族的衝動が近代ヨーロッパ文明を作り上げたと指摘しているが、これは傾聴《けいちょう》に値《あたい》する。

そして、シュペングラーは、その衝動を「無限の空間に憧《あこが》れ、さらに、その空間を征服しようという欲求」であると定義している。もちろん、この場合の「無限」という言葉は、宗教的、抽象的な意味ではない。現実に存在する、具体的な空間を指している。

キリスト教を変えた〝無限への志向〟

では、その無限空間に対する欲求というのは、具体的にどんな形で現われたか。

その端的な例が、ゲルマン民族が信仰するようになってからのキリスト教教会の変貌に現われている。

ゲルマン以前のキリスト教は独特の教会建築の様式を持たなかった。

初期においては、洞穴《ほらあな》の中に造られたり、あるいはローマのカタコンベ（地下墓室）などのように地下に造られる傾向があったし、そののちもバシリカ風（ローマ時代の公共建築の様式）の建物を用いて、外観から教会と分かるような形式がなかった。

ちなみに、初期のキリスト教教会が洞穴や地下を利用したのは、その歴史とも関係がある。これは、中近東でキリスト教が誕生したので、その地方特有の暑さを避けるために、このような日が射さない、涼しい場所に教会を造る伝統が残っていたためであった。これはキリスト教だけでなく、中近東の宗教に共通の特徴でもある。

ところが、西ヨーロッパ精神といわれるものが形成されたころから、つまりゲルマン人がキリスト教を受け容《い》れてからは、教会建築と呼ばれる独特の建物が建てられるようになった。

その形は、ゴシック様式に代表されるような、尖《とが》った塔を持つような建築になった。すなわち、これは無限に天に突き進んでいきたいという欲求が生んだ様式であって、従来のローマ風の建築にはまったく類型のないものであった。

しかも、ゲルマン人によるキリスト教の変化は、教会音楽にも及んだ。それは新形式の教会建

築の中の〝無限〟のごとき大空間を、音で満たしてしまおうという音楽であった。

具体的に言えば、複数の旋律を一つの曲の中に並立させるという対位法《たいいほう》が考案されたのも、この欲求に基づくものである。また、パイプ・オルガンという史上最大の楽器を発明したのも、無限の空間への音楽的挑戦であった。そして、この音楽の流れが、のちにオーケストラを生みだしたのである。

ファウスト的精神とは、何か

このようなゲルマン民族特有の無限への衝動が、ヨーロッパ中を席巻《せっけん》した結果、今までになかったような精神文化が誕生した。それをシュペングラーは「ファウスト的精神」と名づけたのである。

ご承知のとおり、ファウストとは、ゲーテの名作の主人公の名前である。ファウスト博士は、世界を動かしている根本原理とは何かを知るために、悪魔メフィストフェレスに魂を売ることをも厭《いと》わなかった男である。

このファウストの話は、ヨーロッパに伝説として広がっていた物語であるが、それまでは「悪魔に魂を売った男ファウスト」と否定的な意味合いで語られていた。これに対して、ゲーテは従来の解釈を捨て、どんな犠牲を払ってでも学問を深めたいというファウストの知的欲求は肯定さ

▲天空を突き刺すケルン大聖堂(ドイツ)。無限を志向するゲルマン精神が、ゴシック建築のスタイルを生み出した

▶ゲーテの『ファウスト』に、西欧精神を解く鍵がある（図・ファウストとメフィストフェレス。ドラクロワの銅版画）

れるべきであるとし、彼を近代人の代表として描いた。

ところが、シュペングラーは「いや、ファウストの精神は近代的というより、むしろゲルマン的なのだ」と、さらに議論を本質的な部分にまで推《お》し進めたのである。

すなわち、ファウストの願いとは、言葉を換えれば、知識という無限の世界に憧れ、しかもそれを征服しようというものであった。このような無限への欲求は、ヨーロッパ人だけが感じるものであって、その根源はゲルマン民族特有の衝動に遡《さかのぼ》ると解明したのであった。

鉄砲の発明の意義は、この「ファウスト的精神」の観点を導入して、はじめて理解されうるものであろう。

繰り返しになるが、ヨーロッパ人以外の、近世以前の民族は弓矢などの従来の武器に満足し、それ以上のものを必要としなかった。一対一での戦いでは、刀や弓矢以上の武器は必要なかったし、それで充分であったからだ。大砲を造った文明も、それを改良しつづけなかった。

ところが、これに満足を覚えることができない文明が現われ、鉄砲というまったく新種の武器を造りだした。それが、ヨーロッパ人である。

無限への欲求が、大航海時代を招いた

彼らヨーロッパ人にとっての最大の欲望は、「無限の空間を征服したい」という、ファウスト

的なものであった。これは、近隣の地に領地を広めたいという欲求とも違っている。その欲求は天文学の世界や、目に見えぬ知識の世界にまで及ぶものである。その精神の武器上の表現が鉄砲であったと考えたほうが分かりやすい。

その精神にとっては射程距離が短い、従来の弓矢では不充分であったのだ。そこで、十四世紀初頭、ドイツの修道僧バートホルド・シュヴァルツの発明した火薬と鉄砲が、弓矢に代わって持ち運びできる武器の主流になっていく。発明者が修道僧であることや、それがゴシック建築の勃興期であるところに、時代精神を見たい。

しかも、さらに重要なことには、ヨーロッパ人はこの鉄砲を際限なく改良していったのである。もっと遠くへ弾を飛ばしたい、もっと強力な殺傷力が欲しい――彼らの欲望には限度がなかった。まさに、ファウスト的ではないか。

より正確に言えば、鉄砲の発明より、その無限の改良に情熱を注いだということのほうが重要である（実際、鉄砲の原形はシナが最初という説もある）。

なぜなら、彼らヨーロッパ人は鉄砲という武器の改良を通じて、従来の文明が例外なく持っていた〝停滞性〟を排除してしまったからだ。

まさにこの意味において、鉄砲はヨーロッパ文明、すなわち「ファウスト的精神」の結晶とでも呼ぶべき存在であった。

もちろん、このファウスト的精神は鉄砲にのみ向けられていたのではない。

その無限空間への欲求は、天体を見るための望遠鏡の発明や天文学の発達を促《うなが》し、宇宙を数学で征服する意欲ともなった。さらに地上では、有限なヨーロッパ大陸に飽きたらず、大西洋の向こうへと目を向けることにもなった。つまり、「大西洋の向こうに何があるのかを知りたい」、そして「その彼方《かなた》までを自分の手で完全に征服しつくしたい」という欲望を、抑《おさ》えきれなくなったのである。

すなわち、大航海時代の幕開けであった。

その最初の結実が、コロンブスの新大陸の発見であった。そして、コロンブスたちの手に、鉄砲が握られていたのは言うまでもない。否《いな》、鉄砲がなければ未知の大陸の探検に行く勇気はまだ出なかったかもしれなかったのである。

(2) 西洋を三五〇年追い越した「長篠《ながしの》の戦い」

それ以後の世界とは？ → (header)

世界中に〝禽獣《きんじゅう》信仰〟がある理由

コロンブス以前の世界とコロンブス以後の世界がまったく違うことは、これは誰でも気がつくことである。

では、どこが違うかを一言で言えば、地球がひとつになった、世界の歴史が一本の流れに統一されるようになったということである。東アジアの歴史も、インドの歴史も、そしてアメリカ大陸の歴史も、ヨーロッパ史に組み入れられるという形ではあったが、ひとつになったのである。

そして、それが可能になった理由はいくつもあるにせよ、鉄砲の存在がじつに大きい。

この鉄砲を手にした時、そもそも地上における人類の地位が基本的に変わったと言っていい。それ以前は、人類にとって猛獣は、じつに恐怖の対象であった。一対一では、とても闘えない存在であった。

そして、その強さゆえに、虎、羆《ひぐま》、狼《おおかみ》、鷲《わし》などの猛禽《もうきん》や猛獣は、いずれも人間の持たない能

力を持っていると信じられ、したがって、そういう猛獣などの特質にあやかりたいという一種の猛禽獣信仰が生まれた。

その信仰が、名前の一部などに獣《けもの》の名前などを使うもとになったのである。都市の名前でも、ドイツのベルリンは子熊、スイスのベルンは熊の意味であるし、シンガポールは「獅子《しし》の町」という意味を持っている。ヨーロッパの王家の紋章にも、猛禽獣のマークを用いたものが多く見受けられる。たとえば、イギリスの王家ではライオンであったり、プロシア、さらにはハプスブルグ家では鷲を紋章に使っている。

このように、禽獣の神格化は、人類の歴史で長く続いたのである。

もちろん、一方では、一対一でライオンを退治したとか、鷲を射《い》落としたとかいう人物の話が伝わっているが、これはいずれも神話的・伝説的な話であって、そういうことをやった人間は英雄でもあり、半面、神様みたいな存在と崇《あが》められてきたのである。

日本でも、仁田四郎忠常《にったしろうただつね》（鎌倉前期の武将）が富士の巻狩《まきがり》で猪《いのしし》を殺したということが逸話として伝えられているが、これは当時、そういう人物が稀有《けう》な存在だったからである。

日本は比較的大きな猛獣のいない国であったが、それでも熊、猪、狼、鷲などは、人間の手の及ばない存在と思われてきた。いわんや、虎やライオン、豹《ひょう》、象などがいた国では、人間の存在はきわめて脆弱《ぜいじゃく》、か弱いものとされてきたのである。

ところが、鉄砲がひとたび現われると、平凡な猟師でも、熊でも狼でも虎でもしとめることができる。弓で鷲を落とすことは至難の技でも、鉄砲ならば、たいていの猟師が簡単に撃ち落としてしまう。

かくして、人類は地上に怖いものがなくなってしまい、ついには、猛獣のほうでもそれを心得て、鉄の匂《にお》いや火薬の匂いがすれば、自分の方から逃げるようになってしまったのである。

かくも鉄砲の発明は、人類にとって大きな意味があった。つまり、武器としてはじつに強力無比なものだった。

だから、その鉄砲を持った白人が今の中南米に上陸した時に、古い文化を持ったインディオたちは自分たちの文明を捨てて、ジャングルの奥に消えた。彼らの文化があっという間に消え、彼らの都市が廃墟になってしまったのも無理のない話である。

現代のわれわれは、鉄砲の発明が人類史に持つ意味をなかなか実感できないが、例えば、マヤ・アステカ文明のインディオにとっては、ほかの星からエイリアンが来たような恐怖を〝白人の鉄砲〟が与えたと言えば、理解しやすいのかもしれない。

なぜ、日本のみで鉄砲の大量生産が始まったか

さらに、鉄砲はインディオの文化を消したのみならず、エジプト、トルコ、インド、東南アジ

ア、シナなど、世界中に広がっていった。
日本には天文十二年（一五四三）に伝来した。これは、コロンブスのアメリカ大陸発見後、約五〇年後のことであった。

ところが、ここで不思議なことが起こった。

日本人は、この強力な鉄砲を受け容《い》れただけでなく、それを製造し、改良し、大量生産を実践しようとしはじめたのであった。これは、当時の白人以外では、日本独自とも言うべき現象である。

シナは、当時は明《みん》であったが、東洋における最大の先進国であったにもかかわらず、鉄砲の製造技術はほとんど発展しなかった。鋼《はがね》を使わず、柔らかい銅や真鍮《しんちゅう》などを用いて造ったために、かえって性能は低下し、何発か撃つと曲がってしまうような代物で、実用の役には立たず、一種の美術工芸品のようなものになってしまった。

それに反し、日本はたちまち独自の改良を繰り返し、しかも鋼鉄を用いて大量に造りはじめた。しかもその用法において、本場のヨーロッパをも超える近代的な使用法を考案したのである。

その代表的人物が織田信長であった。

では、その使用法とは何であったか。その代表例は、三河長篠《みかわながしの》の戦い（一五七五年）であった。

当時の鉄砲は、先込め銃（銃身の先端部から、弾を装塡《そうてん》する銃）であるために、一発撃つたび

◀長篠の戦いにおける鉄砲の使用法は、西洋よりも約三五〇年先行する画期的なものであった

▶鉄砲の発明により、白人優位の世界史が始まった（図・スペインの征服者コルテスとアステカ王との最初の出会い）

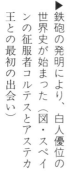

に、銃口から火薬や弾を込めなおして撃たなければならない。このため、連続的な使用は不可能であった。

また、射程距離もそれほど長いものではなく、だいたい弓の射程距離と大同小異だと言われている。このため、敵が射程距離内に入ったところで最初の一発を撃っても、二発目を撃つころには、騎馬隊であれば目の前に突進して来るおそれがあった。

そこで信長は、鉄砲隊の前に柵《さく》を設《もう》けて、騎馬隊がすぐに突入できないようにしたうえで、三〇〇〇梃《ちょう》もの鉄砲を三列に分けて配置した。

一列目が撃つと、すぐに引き下がって二列目の者が撃つ。二列目の者が撃てば再び引き下がって、今度は三列目の者が撃つ。そして、それが撃ち終えたころに、一列目の者がまた撃つという用兵術を考案し、日本史上最強とされていた武田の騎馬軍団を緒戦にして壊滅せしめたのである。

第一次大戦で〝再発見〟された信長の戦法

これは別の言葉で言えば、一定の戦場に一定の時間、一定の量の弾を流しつづけるという発想である。そしてこれは、鉄砲の使い方としては、まさに最先端の使い方であった。

西洋で、この戦法が意識的に採用されるには、じつに第一次大戦の末期、実質上のドイツ参謀

総長であったルーデンドルフ（一八六五〜一九三七年）が西部戦線で実行するまで、約三五〇年も待たなければならなかった。

ちなみにこの間の事情に触れておくと、このとき英米仏の連合軍は、なんとかドイツ軍の戦線を突破しようと、執拗に攻撃を繰り返していた。

これに対してルーデンドルフは、今までの戦闘方式ではかならずや戦線は破られると考え、とにかく敵の突撃が始まれば、敵の突撃が止《や》むまで塹壕《ざんごう》の中から機関銃や鉄砲を撃ちつづけよ、ありったけの弾を絶えず戦場に流しこめという指令を出した。この計略が成功を収めて、ついに戦線は破られなかったのである。

もちろん、第一次大戦のドイツ軍の鉄砲・機関銃の数と、長篠の戦いにおける鉄砲の数は比ぶべくもない。だが、意識的に一定戦場に一定の時間、一定の量の弾を流しつづけるという発想法は、世界史的に見ても信長によって始められたと言ってよい。

じつに、ドイツ陸軍を遡《さかのぼ》ること三五〇年前に、その原理を発見したということは、注目されるべきことである。

信長は〝孤高の天才〟にあらず

だが、ここであらためて考えなければならないのは、もしも信長という人物が日本史上に現わ

れなかったならば、どうであったかということである。

思うに、鉄砲は日本に入ったにはちがいないが、他の国に入った場合と、それほど本質的には変わらない受け容れられ方をしたのではないだろうか。

むろん、鉄砲は便利だということで使われつづけていったではあろう。だが、鉄砲を軸として、戦国の世の中があれほど動くということはなかったのではないか。そして、シナと同様に、鉄砲はしだいに美術品の一種のようなものとなり、日本も他の有色人種の国のようなプロセスをたどって、やがては植民地化されていたかもしれない。

なぜなら、信長が長篠の戦いで、かくも鮮《あざ》やかな勝利を収めるまで、他の戦国大名たちは鉄砲を〝南蛮の弓矢〟ぐらいにしか思っていなかったのである。だから、鉄砲を持っている大名は多かったが、その数は知れたものであった。

ところが、この長篠の戦いを見て、いっぺんに諸大名の先入観は吹き飛び、みんながこぞって鉄砲を買いこむに至った。そしてそれによって、鉄砲の技術改良も進んだし、その製造がさらに盛んになったのである。

事実、東アジアにおいて、いや、当時の非白人国家の中で、最大の鉄砲保有国は日本であったと見てよいであろう。否《いな》、その後の大坂城の戦いのように、ひとつの戦場にあれほどの数の鉄砲が集まった例は、当時のヨーロッパにもないと言っていい。たちまち、日本は鉄砲の最先進国に

なった。

しかし、信長がいなければ、すなわち長篠の戦いがなければ、戦国時代の日本人は鉄砲の意味に気づかず終わったかもしれない。となれば、シナのように鉄砲もやがて〝停滞〟したであろうと容易に予測できるし、やがてはシナ同様、白人の植民地になる運命であったかと想像される。

この意味で、信長は単に世界史に先駆けただけの〝孤高の天才〟ではなく、現在にまで確固とした影響を残していることを強調しておきたい。

(3)織田信長とフランス革命の共通点

なぜ、信長は比叡山《ひえいざん》を焼いたか

どれだけ信長が、日本史、いや世界史上に特別な意味を持つ人物であったか、また、彼がいなければ日本史はまったく違ったものになっていたかを、別の側面から考えてみよう。

信長は一五七一年（元亀二）、比叡山《ひえいざん》の焼討ちを行ない、多くの僧侶を殺した。また、そのほかには長島（現在の三重県）や越前の一向一揆《いっこういっき》を討ち、最後には本願寺《ほんがんじ》を攻め落として（一五八〇年）、一向宗の信徒や僧侶を大量に殺した。

このことは、かなり広く知られている事実である。

しかし、この一連の信長の行動に対する従来の評価は、私にはけっして充分とは思われないのである。

なるほど、信長が宗教勢力を攻撃したことに関する研究は、それこそ汗牛充棟《かんぎゅうじゅうとう》のように存在する。ある人はそれを、信長自身の性格と関連づけて研究しているし、またある人は、戦国時代

全体の問題として捉えて、その意味を探ろうとしている。

それらはたしかに尊重すべき研究ではある。だが、一章で紹介したバーフィールドの言葉を借りれば、それはまだまだ〝水玉〟の研究ではないかと思えて仕方がないのである。

なぜなら、そのような観点からだけでは、信長が後世の歴史全体に与えた影響、とりわけ日本文化に与えた影響を正確に測ることはできないと思うからである。

では、どのようにすれば信長の偉大さが実感できるのか。それは、西洋史と比較することによってのみ可能だろうと思われる。

信長がやった比叡山焼討ちなどの行為、すなわち〝その国で何百年もの間、信仰されてきた宗教を俗人が攻撃し、その聖職者を何百、何千と虐殺する〟という行為に比肩《ひけん》しうる出来事を西洋史の中で求めるとすれば、何が最も近いであろうか。

フランス革命は宗教との戦いだった

それは、信長の時代を下ること、約二〇〇年を経《へ》たフランス革命（一七八九年勃発）ではなかったかと思う。

たしかに、それ以前にも一見、似たような出来事はある。

たとえば、十六世紀から始まる宗教改革もそのひとつで、信長とほぼ同じころの例を挙げると

すれば、イギリスのヘンリー八世（一四九一～一五四七年）がそれに当たる。ヘンリー八世も、イギリス統一以前からイギリスの国の宗教であったカトリック教会を真っ正面から攻撃して、その教会の財産を没収して自分の家臣に分け与えてしまった。反抗する者たちは、聖職者も含めて大量に処刑した。

しかし、ヘンリー八世ですら、信長のように一山すべてを焼きつくすというほどの殺戮《さつりく》は行なわなかったのである。しかも、ヘンリー八世自身が、形ばかりであったとはいえ、カトリック教会との対抗上、イギリス国教会の首長になったことを考えれば、単なる俗人とは言いがたい部分もある。

ヨーロッパ史において、信長のように俗人が宗教を攻撃するのは、フランス革命をもって嚆矢《こうし》とする。

フランス革命は、市民対貴族という階級対立の構図が一般に定着しているが、それだけでは一面を理解したにすぎない。この革命の槍玉《やりだま》に上がったのは、「第二身分」とされていた貴族ばかりではなかった。「第一身分」とされた聖職者、いわゆる僧侶も当然のことながら厳しい追及や弾圧にさらされた。

では、なぜこの革命において、俗人の宗教攻撃が起きたかを説明するためには、フランス革命の思想的母体である、啓蒙主義《けいもうしゅぎ》の解説をせねばなるまい。

「フランス革命は啓蒙主義が産んだ革命である」とは、よく言われる言葉だが、ヨーロッパ人がその啓蒙主義を抱く発端《ほったん》となった体験は、十六、七世紀の宗教戦争であった。

カトリックとプロテスタントの宗教的対立と、国家同士の政治的対立が結びついて、ヨーロッパは分裂し、一世紀以上もの間、戦火が絶えるということがなかった。かといって、この戦争によって、どちらかが圧倒的な勝利を収《おさ》めるということもなかったのであるから、その意味では、双方に無益な戦争であった。

お互いに完全に疲れ果てるところまで戦った結果、ヨーロッパ人が得た結論とは「もう、政治や軍事には宗教は持ち出すまい」という反省であった。これがドイツの三十年戦争（一六一八〜四八年）に決着をつけたウェストファリア条約（一六四八年。左欄外注）のモットーである「君主の宗教は領民の宗教（Cujus regio, ejus religio）」の意味である。

カント（ドイツの哲学者。一七二四〜一八〇四年）の言葉を借りれば、「いかなる大きな宗教でも、それは私事である」ということであり、これが啓蒙主義の始まりであった。

●**三十年戦争とウェストファリア条約**——ドイツの新教徒の反乱によって始まった三十年戦争は、デンマーク、スウェーデン、フランスの介入を招き、長期化。ウェストファリア条約によって、一応の終結を見たが、戦場となったドイツは疲弊し、国力が衰《おとろ》えた。

そしてこの啓蒙主義を追求していった結果、ヨーロッパ人は政治から宗教を排除するには、従来の政治形態を改良するだけでは不可能だということに気がついたのである。そこで、ヴォルテールやルソーといった啓蒙思想家が、社会契約論などの新しい政治理論を打ち出すに至った。

このような新しい理想を実現しようとして起こったフランス革命で、聖職者への攻撃が行なわれたのは、まことに当然のことであるし、それは最大の攻撃目標であったのだ。そして、比叡山の焼討ちに似た聖職者や信者への虐殺がフランス中で行なわれたのである。

啓蒙主義を理解して、はじめて信長を理解できる

以上、フランス革命の意義をざっと説明してきたわけだが、この革命を成立させたヨーロッパ啓蒙主義の視点から、信長の比叡山焼討ちを見れば、その真の意味が理解できるのではないか。

信長は、なぜ比叡山を焼討ちし、本願寺を攻撃したか——答えは単純で、彼らがあまりにも政治的存在になり、信長のやろうとしたことを妨害したからに外《ほか》ならない。一向一揆に至っては、一向宗という信仰集団が大名を追い出して、領地を支配しようというのであるから、これほどの政治的宗教はなかった。

信長はこれを激しく嫌ったのであり、こういった教団を潰《つぶ》すのには何の手心も加えなかった。まさに、これは啓蒙主義的発想といえよう。

▶史上最初の啓蒙専制君主・織田信長

▲フランス革命期の風刺画。堕落した聖職者を批判したもので、当時、宗教権力が排斥《はいせき》されたことが、うかがわれる

しかも信長は、政治に口出しさえしなければ、宗教にたいへん寛容であった。

たとえば、当時、イエズス会の宣教師ルイス・フロイスたちが、伴天連《ばてれん》（キリシタン）の教えを日本人に広めていた。これに対し、当時、最も反感を持っていたのは日蓮宗の僧侶たちであり、伴天連の信仰がいかに日本にとって危険であるかを、日蓮宗の僧侶たちが信長に説いたことがあった。

しかし、このとき彼は「もしも本当に危険なことが起これば、そのときに取り潰《つぶ》せばいいではないか」と答えている。

つまり、宗教と政治を較《くら》べれば、文句なしに政治のほうが強力な存在であるから、いつでも伴天連などは追放できる。今から心配する必要がどこにあるか、という態度であり、彼の心の中では、政教分離の考え方が明確であったことを如実《にょじつ》に示している。

それのみか、信長は宗教が政治に介入しないかぎりは、どんな宗教が何を言ってもかまわないという態度をいつも示した。

日蓮宗の日乗《にちじょう》という僧侶が、ある時、信長の前で宣教師に宗教論争を仕掛け、さんざんに負けてしまったことがあった。負けた日乗は逆上して、刀を振り上げ、宣教師を斬《き》ろうとした。この時、信長は日乗に「宗教論争というのは、議論で行なうべきであって、武器を用いるべきではない」と、まったく中立的な立場に立って叱《しか》っている（注・日乗の宗旨については異説もある）。

世界史上、最初の啓蒙的専制君主

こうした信長についての記録を読むと、私はフリードリッヒ大王（プロシア王。一七一二～八六年）を思い出すのである。

フリードリッヒ大王のプロシアは、戦争によっていくつもの領土を獲得した。その結果、いろいろな宗教の信者が国民となった。また、移民も多かった。だが彼は、それはそれでかまわないという態度を採りつづけた。

自分の命令をちゃんと聞き、法律を守ってくれさえすれば信仰は問わない。政治や軍事に関する話題も、議論の段階でとどまっているかぎりはこれを問わない。しかし、政治や軍事の実際的運営に関してだけは完全に誰にも口を出させない、としたのである。

フリードリッヒ大王は啓蒙的専制君主の典型と言われる。

啓蒙的専制君主といっても、何のことか分かりにくいが、砕《くだ》いて言えば、「宗教や思想的な議論は、自由にやれ。だが、政治と軍事の実際に関しては、全面的に俺（君主）の言うことを聞け」ということなのである。

この態度は、本質的において信長とまったく共通したものである。

というより、信長こそが、世界史における啓蒙的専制君主の最初であったと言ってもよいかと思われる。

以上のように見てくれば、比叡山焼討ちなどの行為を持ち出して、「信長は性格的に常人と違っていたから、宗教を攻撃したのだ」などという議論が、いかに的外《まとはず》れなものであるかが理解されるであろう。

彼はたしかに時代を超越した天才である。しかも、それは日本史のみならず、世界史の枠をも超えている。

だが、彼の発想はあくまでも理性、それも近代的理性に基づくものであって、彼個人の性格があのような宗教攻撃を導いたのではないのは明白な事実である。

そして、やはり当時でも信長の判断は、少なからざる人に当然のこととして受けとめられたであろうし、彼が実践した〝啓蒙主義〟の重要さは深く理解されたものと思われる。

信長の精神を継いだ徳川幕府の宗教政策

では、信長が遺《のこ》した啓蒙精神は、のちの日本史にどのような影響を与えたのか――これも検討されるべき問題であろう。

それは〝宗教の相対化〟とでも言うべき流れであった。

啓蒙思想は、先に述べたように、宗教の存在は認めるが、政治にまで口出しできるような絶対的権威は認めないという思想である。となれば、宗教が相対化されるという現象が起きるのは必

然と言ってよい。

それを後世に求めれば、私は徳川幕府の宗教政策をまず第一に挙げたいと思う。

徳川幕府の宗教政策といえば、宗門改《しゅうもんあらため》という制度に尽《つ》きるであろう。

つまり、すべての人間が生まれた時点で、どこかの菩提寺《ぼだいじ》の檀家《だんか》にならなければならないという規則であり、その記録は宗門人別帳《しゅうもんにんべつちょう》に書かれるのである。だから菩提寺を途中で変えることは許されなかった。また一方、実際には菩提寺以外の宗教を信仰することは黙認されていた。

この制度は、そもそもはキリシタン禁制のために始まったと言われるが、実態は、今日の戸籍に近い。つまり、菩提寺を戸籍役場として取り扱っているわけで、宗教はこれによって完全に相対化された。

しかも、徳川幕府はこの他にもさまざまな手段を用いて、絶対的権威を持った宗教の出現を防いだ。

諸宗教の布教活動を禁じたことも、そのひとつである。

だが、それより注目すべきは、当時最大の教団であった浄土真宗の本願寺《ほんがんじ》派を分裂させたことであろう。家康は、幕府を開く前年の一六〇二年（慶長七）に、本願寺に領地を寄付し、強引にここに東本願寺を創建させ、本願寺の分裂を図《はか》り、成功しているのだ。

まさに、宗教の相対化は徳川幕府の基本政策であった。この意味で徳川幕府は、啓蒙主義的政

権と言ってよいであろう。

ルネッサンスと石門心学《せきもんしんがく》との共通点

さらに、こういう雰囲気《ふんいき》の中で、徳川時代に日本独自の倫理運動が起こったのにも注目したいと、私は思うのである。

それは、石田梅岩《いしだばいがん》（一六八五〜一七四四年）を創始者とする石門心学《せきもんしんがく》である。

心学では、「各人みな心を持っているのだから、その心を磨《みが》くのが大事である。磨くための手段としては、心を高める宗教ならば、神道《しんとう》だろうが、仏教だろうが、儒教だろうが何でもいいのだ」と説いた。

普通の宗教では、まずドグマ（教義）があって、それに人間をひたすら合わせることを説くのだから、心学の教えは宗教家から見れば、言語道断《ごんごどうだん》な教えであろう。

だが、考えてみれば、ドグマよりも人間の心を上位に置くというのは、これも一種の宗教的なアプローチと言える。

では、西洋史における心学に当たるのは、何であろうか。

私の観察では、ルネッサンス運動がそれに近い精神を持っていたと見ているのである。

ルネッサンスの時代、ヨーロッパ人が一生懸命読んだのは古典であった。

つまり、ギリシアやローマの古典であるが、これはキリスト教の立場からすれば、異教徒の文学であって、その文学の中には異教の神が目白押しに出てくる。

だから、ルネッサンス以前には、こういった古典は歓迎されなかった。一種の背教行為になるからである。

そのため、中世のヨーロッパにはギリシア・ローマの古典が一冊もないような状態になってしまったのである。それらのほとんどは、捨てられたり、焼かれたりした。これによって、多くの貴重な古典が永遠に失われ、今では名前のみが伝わっているようなものが少なくない。

だから、今日われわれが読むことができるギリシア・ローマの古典は、ほんの一部にしか過ぎないし、しかもそれは当時のイスラム世界がそういう古典を尊重して、彼らの図書館に収めていたから生き延びられたものが多いのである。

ちなみに、そのような中世の文化状況を、比較的よく描いていたものに、以前、話題になった映画『薔薇《ばら》の名前』（原作ウンベルト・エーコ）がある。

この映画は、中世の教会を舞台にしている。一種の推理ものであるから、詳しいストーリーは書けないが、ギリシア・ローマの貴重な古典を秘《ひそ》かに収めていた教会の図書館が、見るも無惨に焼け落ちていくシーンがエンディングにあって、印象的だったことを覚えている。

ちなみにこの映画では、アリストテレスの詩学では「笑う」ことを許していたか否《いな》か、という

哲学上の問題が事件の焦点になっている。ギリシアの古典が入ってきた当時の中世の修道院の対応のむずかしさを象徴的に示していて、これも興味深かった。

西洋を超えた日本の啓蒙精神

余談が長くなったが、これがルネッサンス以降になると、自分の信仰がプロテスタントであれ、カトリックであれ、宗教は宗教という発想ができるようになった。そして、古代ギリシアやローマの偉人たちの考えをみずからの教養の中心とするようになっていった。いわゆる古典教育の始まりである。

もちろん、宗教の立場から厳密に考えれば、古典教育という概念はひじょうに問題があるから、反対運動も起こった。

プロテスタントのほうでいえば、ルター(一四八三~一五四六年)も古典教育に反対している。彼は、古典を排斥するばかりか、さらに聖書を読むためのヘブライ語も、ギリシア語も、ラテン語もいらないとして、母国語、すなわちドイツ語で聖書を読みさえすればいいと主張したのである。

これに対してカトリックの文化圏では、ルネッサンス運動がすでに始まっていたから、古典教育が普及していった。

ところが、理屈はともかく現実の問題として、古典教育を受けなかった者より、古典教育を受けた者のほうが、やはり人間的にも能力的にも優《すぐ》れていることが明白となってしまった。

これを見て反省したルターの後継者メランヒトン（一四九七～一五六〇年）らが、一転して古典教育の重要性を説きはじめた。その結果、カトリックかプロテスタントかを問わず、ヨーロッパをあげて古典教育が盛んになるということになったのである。

そして、この古典教育の流れは、ヒューマニズムという考え方まで生みだした。

繰り返すが、古典教育は多神教であったギリシア・ローマの偉人の話が中心であって、いわゆる宗教的な色彩はほとんどない。それまで中世の教養は神学であったのを考えれば、これは学問の中心が宗教的なことから人間的なことに移ったということになる。

別な言い方をすれば、これは、宗教より人間を大事にするという発想であり、これこそがヒューマニズムの本質なのである。

ちなみに日本では、ヒューマニズムのことを「人道主義」と誤訳しているが、中世の神学《デビニティ》に対する言葉であり、元来は「ギリシア・ローマの古典研究」と訳すのが正しいのである。この名残りは、今でもスコットランドの大学でヒューマニストと言えば、ラテン語の先生であることや、アメリカの大学でもヒューマニティズと言えば、だいたい日本の文学部に相当するような学部の意味であることにも見られる。

さて、このルネッサンスの発想は、理念として石田梅岩の心学と一脈通じるものと言ってよい。

やはり西洋でも、日本とあまり違わない時期に宗教離れをして、人間的価値で人間を磨く、立派な精神によって人間を磨く、ということが教育の中心になった。近世初頭になると、カトリックの神秘的な神学者や聖人も、その人間形成期の勉強はギリシア・ローマの古典が中心になってくるのである。

だが、それでもヨーロッパにおいては、まだカトリックとプロテスタントの間の垣根が完全に取り払われなかった。

これに対して、日本の場合はさらに徹底して、儒教でも仏教でも神道でもよろしい、と断言するところまでいくわけであるから、ヨーロッパよりさらに一歩進んだ人間中心主義であったと思われるのである。

この意味で、信長を原点とする日本的啓蒙主義の流れのほうが、ヨーロッパよりも早い時期に高い到達点に達したと言っても、過言ではあるまい。

(4)徳川時代を動かした〝日本的ファウスト精神〟

鎖国で死ななかった日本人の知的好奇心

そもそも、有色人種のあいだで、どうして日本人だけに西欧人と共通するファウスト的精神が入りこんだのか。

まずそれは、日本史が最古代からつねに展開の歴史であって、停滞することがなかったことにも由来するであろう。シナ文明が隋《ずい》・唐《とう》以降は明らかに停滞の状態にあり、王朝は替わりこそすれ、歴史的発展らしきものが見えないこととは対照的である。

さらに西欧との類比で見るならば、「海賊」の存在がある。

クリストファー・ドーソン（イギリスの歴史家、文化哲学者）も言うように、西欧の近代は荒海に乗り出していったヴァイキングの精神構造なしでは考えられない。この点で、無限空間への衝動を重視するシュペングラーの観察とドーソンの観察は共通している。

日本も元寇《げんこう》の後、すなわち十三世紀末から豊臣秀吉のころまで倭寇《わこう》（71ページ注）の活動が甚《はなは》

だしかった。

三国時代および高麗《こうらい》時代の編年史である『東国通鑑《とうごくつがん》』などは、ヴァイキング時代のイギリスの『アングロサクソン年代記』のごとく、海賊襲来の記述の羅列が主である。また、高麗や明《みん》の衰亡は倭寇と大きな関係がある。

もっとも日本の倭寇はヴァイキングと異なり、日本の根拠地が日本の実力者によって潰《つぶ》され、さらに鎖国のために終焉《しゅうえん》してしまったが、放っておけば海外の至るところに西欧人と同じころに植民地を作ったり、自分たちの国を作ったものと思われる。

つまり精神構造が、同じころの白人と似たところがすでにあった。その下地のあるところに、織田信長が出現して、一挙に開花したと言うこともできる。

信長の啓蒙精神が、後世に及ぼした影響についてはすでに触れたが、彼が日本史に与えた影響は、それだけではない。

工学や自然科学に対する日本人の知的好奇心の高まりも、そのひとつである。

これは「新しい物好き」、「新しがり」と言ってもいいし、変化を好む精神と言っても差し支《つか》えあるまい。

前にも述べたように、信長はきわめて理性的な啓蒙精神の持ち主であったから、そもそもキリシタンを恐れたり、あるいは排斥《はいせき》するということをしなかった。むしろ彼は、宣教師が伝える西

洋の新知識を歓迎した。

このため、鉄砲をはじめとするヨーロッパの文明が大量に日本に入ってくるということが起こったのである。

しかも、この当時の日本人が、外国文明を受動的に受け容《い》れるだけでは終わらせなかったのは、鉄砲の改良ひとつを見ても分かるであろう。そもそも、白人文明と日本人は相性がいいところがあったのだ。

信長と、その後継者である豊臣秀吉の時代は、わずか四十数年しか続かなかったが、このわずかの間に日本人の精神構造には、他のアジアの国々とはまったく別の要素が強力に注入され、頭の底のほうで近代化が起こってしまったのである。

これは、日本民族全体の知的能力や過去の歴史の力も大きかったとは思うが、やはり信長なしでは、こう明確に起こりえなかった事態であった。

ところが、その後間もなく、徳川幕府はキリシタン政策の関係で、鎖国に入る（一六四一年）。

●**倭寇**——元《げん》代の末から、明《みん》代にかけてシナやコリア沿海に現われた日本人海賊のことを呼ぶが、一方で私貿易も行なっていた。マカオ、台湾、ルソンにも進出し、大いに活動した。倭寇は身軽で、伏兵に長《た》けていたので、明軍も大いに苦戦したとされる。

鎖国は、キリシタンのみならず、ポルトガルやスペインの政治的影響力をも断つという含みがあったために、化学や物理というような西欧の自然科学をも禁止する結果になった。すなわち、戦国時代では歓迎されていた事象が、鎖国以後はしばしば、キリシタンだということで否定的に見られるようになった。そして、ひとたびキリシタンと言われれば、磔《はりつけ》や火あぶりにかけられた。

このため、西欧文明はきわめて大きな恐怖感を日本人に与えることになった。日本は再び、また保守的な国に戻って、他国なみのアジア的停滞に陥《おちい》ったかのごとく見えるに至った。

しかし、それは外見上のことである。信長によって惹《ひ》き起こされた近代的センス、あるいは鉄砲への適応性で示されるような日本人の知的素質、西洋文明に対する理解力といった能力は死に絶《た》えたわけではなかった。

幕府の禁制によって抑《おさ》えられた分野以外では、その精神は休まずに働き続け、一種の〝日本的ファウスト精神〟と言うべきものを活《い》かしつづけたのである。

ギリシア人は、なぜ微積分に到達できなかったか

その代表的な例として、日本独自の数学、すなわち和算《わさん》の成果を挙《あ》げることができる。

日本における数学はソロバンの例を見ても分かるように、シナを起源としてはいるが、シナの

数学がある程度の水準に達したのち、〝アジア的停滞〟に入ったのに対し、日本ではとどまることなく磨《みが》きがかけられた。

そして、そこから江戸中期には数学者・関孝和《せきたかかず》（?～一七〇八年）と、その弟子が現われたのである。

関孝和は一六七四年（延宝二）、『発微算法《はつびざんぽう》』という数学書を著わして、ここから筆算《ひっさん》による代数学が始まり、行列式の方法を発見した。これは一六八三年（天和三）であるから、西洋の数学者より早い。その弟子の建部賢弘《たけべかたひろ》は円弧の長さを無限級数で示し、ついに和算は〝円理〟、すなわち西洋の微積分に相当するものに達したのである。

じつは、この無限級数、極大極小論、微分積分の概念こそ、数学におけるファウスト的精神の代表とも言えるものなのだ。

たとえば、円の面積を求める場合に微積分を用いるわけだが、このとき発想としては、ひとつの円を縦《たて》に細長く分割していって、それぞれの面積を計算し、それらの総和が円の面積であると考える。

もちろん、円をできるだけ細《こま》かく分割していけばいくほど、円の面積は正確になっていく。この計算を途中で放棄し、近似値でごまかすということもできるが、「それではイヤだ、妥協は許さない」というのがファウスト的精神である。あくまで徹底的に分割し、正しい面積に到達する

という発想があってはじめて微積分の概念が生まれる。

言い換えれば、微積分の概念に到達できるか否《いな》かは、頭脳の優劣によるというよりも、「極限まで追求する」というファウスト的精神態度がひとえに関係してくるのである。

それは、古代ギリシアの数学を見ても容易に納得できるであろう。ピタゴラスに代表される古代のギリシア人は、きわめて頭脳明晰であり、多くの定理を発見して証明し、公理を立てた。今日の数学の原点を古代ギリシア人が作った事実は、ご承知のとおりである。

さらに、数学者でもあったシュペングラーも指摘したように、彼らは円周率や平方根のような無理数の概念にも到達していた。

ところが、ギリシア人には、やはり、〝ギリシア的停滞性〟とでも言うべきものがあって、ある一定のところまで考えると、それ以上の追求を止めてしまう傾向があった。無理数の場合にしても、充分に理解できる能力があるにもかかわらず、その研究を究極まで進めようとはしなかったのである。

つまり、古代ギリシア人には、物事を連続的かつ累積的にやりつづけるファウスト的精神が欠如していたと言ってよい。連続的（continuously）かつ累積的（cumulatively）、つまりC&C精神――どこかの会社のロゴみたいであるが――が、ファウスト的精神の特徴をなしているといえ

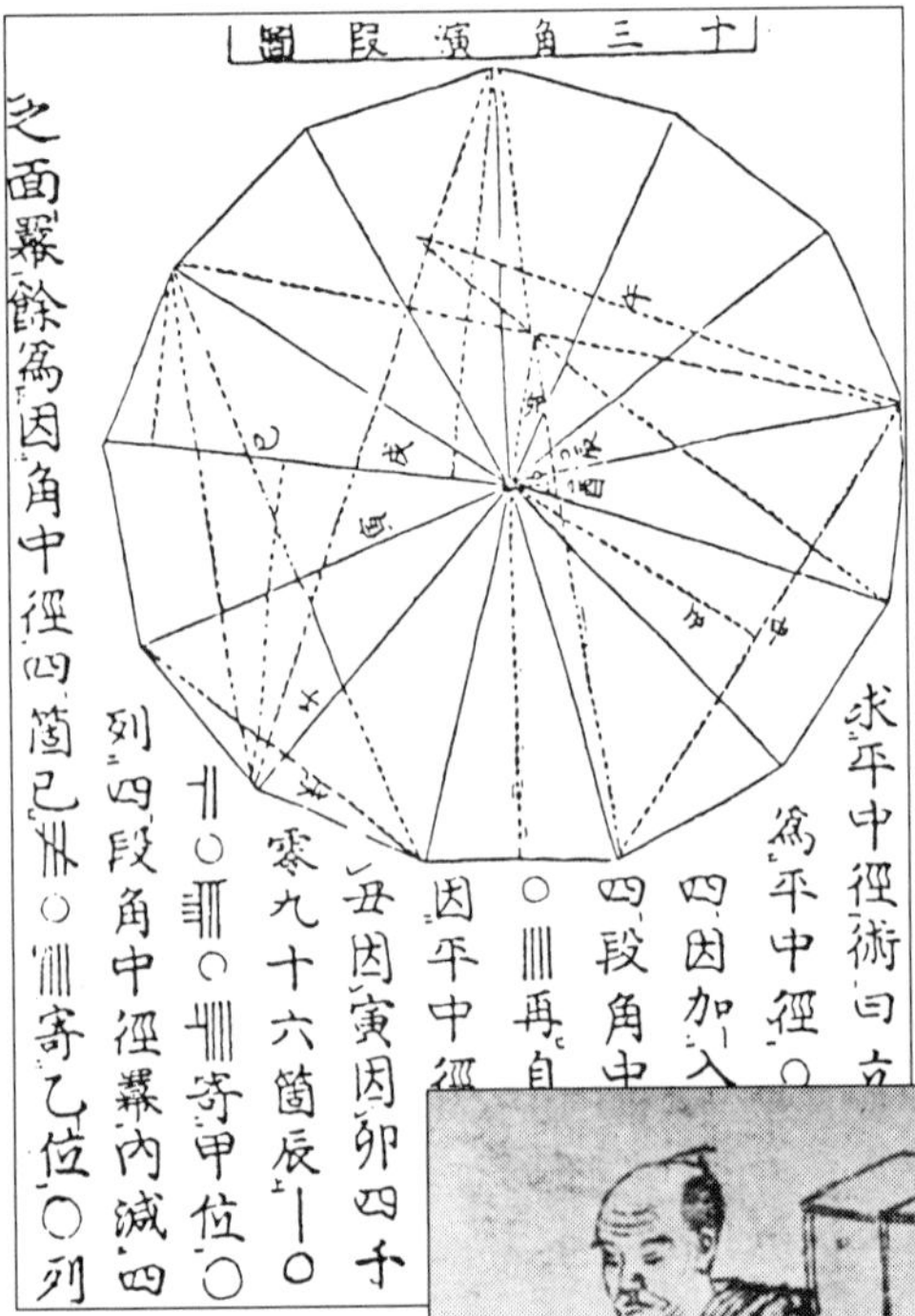

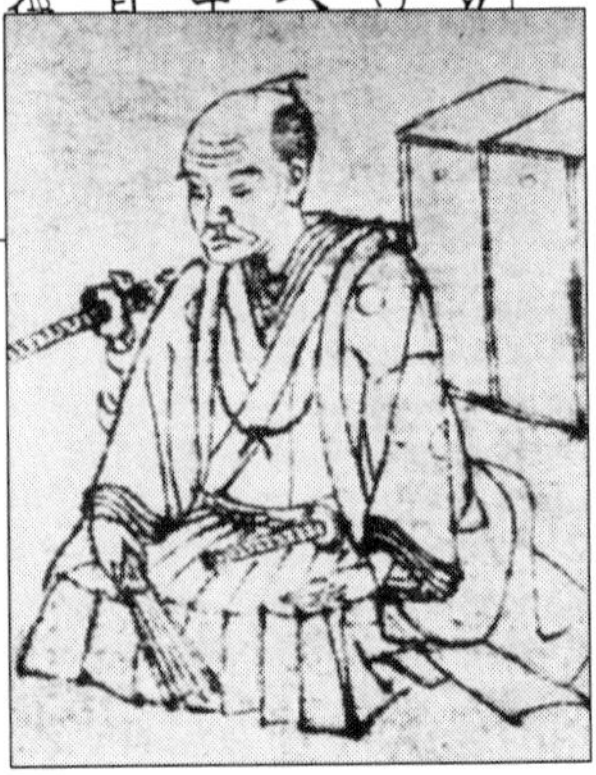

▶関孝和は、日本の数学を世界レベルに引き上げた（上図は、正十三角形について述べた彼の遺著の一部）

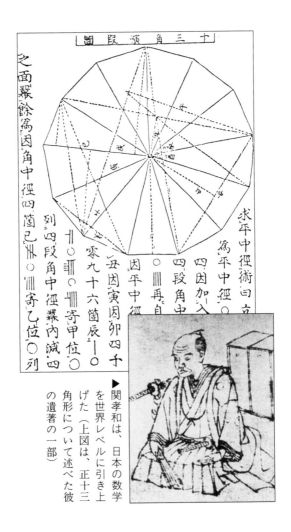

よう。

近代西洋を超えていた日本人の数学的能力

ところが、日本人はまったくの自力でこの微積分の概念に到達した。また、円周率の計算も無限数列の導入によって、計算式を見出していたのである。

さて、関孝和とその門下の数学に話を戻せば、興味深いことに、世界史的に見ても、同じようなテンポで微積分に対する人知が発達しつづけた事実が観察される。

関や門下生の発見とまったく同時期に、ドイツではライプニッツ（一六四六～一七一六年）が微分の概念に到達している。また、少し遅れて、イギリスではサー・アイザック・ニュートン（一六四二～一七二七年）が微分の概念に達している。言うまでもなく、日本の関孝和と門下生、ドイツのライプニッツ、イギリスのニュートン、この三者はともに相互関係がなく、それぞれ独自に微分の概念に到達しているのである。

この関孝和の事例は、鎖国のために自然科学的な学問の多くが禁制になったとはいえ、戦国時代にスタートした日本人のファウスト的精神が消え失せてはいなかったことの証明に外《ほか》ならないと思う。

ただ、残念なことに、政治的に禁じられていたために物理学や化学の実験に、微積分などの数

学的発見が応用されることはなかった。また、数学上の知識を実用面に広く活《い》かすということも起こらなかった。

当時の最先端の工学といえば造船術が挙《あ》げられるが、これもまた、幕府が諸藩の軍備増強、とくに海軍（当時の言葉でいえば、水軍《すいぐん》）を持つことを禁止したため、巨大な外洋船の建造など考えられず、この面での高等数学の応用は見られなかったのである。

これに対してヨーロッパでは、自然科学の進歩の時代は、そのまま大航海時代と重なっていたために、研究と実践が相互に刺激しあって、ともに発展していった。この点に関して、日本の数学が実践の場を見出せず、一種の芸事《げいごと》のようになってしまった事実は否定できない。

さらに近隣諸国との学術交流もなく、西欧における競争や相互刺激も不可能であった。やはり、これも鎖国の悲劇というべきものであったであろう。

しかし、繰り返して強調しておきたいが、日本人の頭脳は、けっして〝停滞〟していたわけではなかった。事実、関孝和以後も和算の研究は発達しつづけ、しかも研究者の数は増えていたのであった。

幕末や明治には、欧米から多数の「お雇い教師」がやってきて、西欧流の自然科学や工学を教え、日本の近代化に貢献したのは有名な事実だが、ただひとつの例外は数学であった。

日本に流れてくる程度の数学教師は、日本人の目から見れば、みんな幼稚に見えたという記録

が残っているが、これは当時の日本人の素直な実感だったろうと思われる。

シナを凌駕《りょうが》した儒学研究

自然科学以外の分野でも、日本人の頭の働きは徳川時代の、外見的には静穏で動かない時代とは相反して、猛烈に働きつづけていた。

保守的傾向が強いとされる儒学においても、これは例外ではなかった。

たとえば、儒家の「十三経《じゅうさんぎょう》」のひとつで、儒学では不可欠な基礎文献『孝経《こうきょう》』の研究でも、日本は本場のシナ以上に進んでいた。とくに、シナではずいぶん昔に失われていた『孝経』の古いテキスト（漢の武帝《ぶてい》のときに孔子の家の壁から出てきたもので、『古文孝経《こもんこうきょう》』と呼ばれる）が日本にだけ伝わっていて、その復刻が日本で行なわれ、シナに逆輸出されるという快事も徳川時代には起きている。

これは単に古い本を出しただけではない。本文校訂版として、つまりクリテッシュ・アウスガーベとして本場のシナに先行したのである。

このような本文校訂の方法を確立したひとりが、山井鼎《やまのいかなえ》（号・崑崙《こんろん》。一六八一～一七二八年）である。

彼は紀州の人で、伊藤仁斎《いとうじんさい》や荻生徂徠《おぎゅうそらい》といった一流の儒学者に学び、伊予西条藩《いよさいじょう》に仕《つか》えたが、

藩命で足利学校《あしかががっこう》（中世から続く、漢学の学校。成立年には諸説がある）に行き、『詩経《しきょう》』、『易経《えききょう》』、『書経《しょきょう》』、『礼記《らいき》』、『左伝《さでん》』、『論語』、『孝経』の七経と、『孟子《もうし》』の異文を校勘《こうかん》、つまり比較校訂し、『七経孟子考文《しちけいもうしこうぶん》』を書いた。これは八代将軍吉宗《よしむね》の命で、荻生徂徠の弟（物観《ぶっかん》）が補遺を作って、一七三〇年（享保十五）に刊行された。

これが清に輸出され、シナの学者もテキスト・クリテック（原典研究）を始めることになる。

山井だけでなく、彼と一緒に仕事をした根本遜志《ねもとそんし》も、シナではなくなっていた皇侃《こうかん》の『論語義疏《ろんごぎそ》』（『論語』の注釈書）の校訂版を同じころに出版した。

これらの儒教の古典中の古典が日本から出たことによって、清の乾隆帝《けんりゅうてい》の時代から、シナでも日本式のテキストの本文研究が起こることになった。じつに日本に遅れること、六、七十年、しかもまったく日本から輸入された本の刺激によるものであった。

本文校訂はヨーロッパでは、主としてバイブル研究から発達したが、その方法が一般の文献に及び、イギリス最古の古典である『ベオウルフ』（八世紀初頭に成立した叙事詩）の学問的な版が出たのは、イギリスではケンブル版が一八三五〜三七年、ドイツでは一八五七年で、日本より約一〇〇年遅れている。

また、「四書五経《ししょごきょう》」を読むにしても、朱子《しゅし》などの注釈を通じて理解するだけに飽きたらず、孔子時代の眼で原典を読むという、近代文献学的な態度が、山井鼎の師である伊藤仁斎によって出

現し、これもまた清より一〇〇年ほど早いとされる。

また、本居宣長《もとおりのりなが》に代表される国学研究の動きも、忘れてはならない。シナのような先進国の文化を一方的に受け容《い》れるのではなく、自国の歴史や文化を研究しようという動きは、やはり一定の文化的水準があって初めて生まれるものだからである。

たとえばイギリスにおいても、日本における国学誕生と同時期の十六世紀半ば、チューダー王朝のときに、イギリス国学とでも言うべき運動が起きている。具体的に言えば、イギリスの歴史を研究したり、日本人が神道を見直したように、イギリス古来のキリスト教を見直して国教会を創設したりしている（詳しくは拙著『イギリス国学史』研究社出版刊を参照されたい）。

もちろん、これは日英おたがいに影響を与えあったということはまったく考えられないわけであり、当時、日本とイギリスが同じような精神の発達段階にあったと見てもいい実例であろうと思う。

仏教教義の根本を疑った富永仲基《とみながなかもと》

徳川時代の注目すべき学問成果の例をもうひとつ挙げるとすれば、宗教研究について触れざるをえない。

中でも、徳川時代の後半に出た富永仲基《とみながなかもと》（一七一五〜四六年）は、仏教の経典がすべて釈迦《しゃか》の

教えであると信じられていた時代に、大乗仏教の膨大な経典が、釈迦本来の教えとは、直接関係のないことを証明している。

元来、お釈迦さまが語ったのは、普通の人が聞いても分かるような話であったにちがいない。それを弟子たちが種々に解釈し、さらにそれに新しい解釈を加える人が出てくる。当然のことながら、新しい解釈のほうが正しいのだという風潮が出てくる。

こういうふうに「加上《かじょう》」（付け加えること）して、原始仏教から大乗仏教の諸派が現われてきたのだという歴史的道筋を、彼は理路整然と解き明かしたのである。

この画期的な発想を述べた『出《しゅつ》定後語《じょうごご》』上下二巻は一七四五年（延享二）に大坂で出版されている。

大乗仏教の経典である『漢訳大蔵経《だいぞうきょう》』は、キリストのころに編《あ》まれたとされている。つまり、一七〇〇年以上ものあいだ尊《とうと》ばれてきた教義の基本文献を疑うという発想法が、日本にはすでに自然発生していたのである。

これをまた西欧と比較してみれば、ヨーロッパでも、同じようなことが、それほど時を違えないで起こっている。

たとえばドイツのプロテスタント神学者であるシュライエルマッヘル（一七六八〜一八三四年）は、聖書の原典研究を行ない、キリスト教の原典中の原典である聖書の成立に関して、それはい

ろいろなテキストや挿入、さらには偽作などの要素が混合してできたものであるということを述べている。そして、キリスト教の諸要素は、キリスト生誕以前のオリエントに存在し、その地方の神話は聖書の記述よりも哲学的、宗教的に明快であることを論証したのである。

それを信ずるかどうかは別としても、自分の先祖が代々、二〇〇〇年近く信じてきた宗教の原典の成立に疑いを差しはさむという発想、これが日本とヨーロッパでほぼ同じ時期に、否《いな》、日本のほうが少し早く出てきた事実は、思想史を語るうえで、まことに注目すべき点である。

これもまた、日本人の思考が西洋と同程度に成熟しつつあったことを示すものである。

古来、カネ好きだった日本人

日本人のファウスト的精神の発露を、西欧と比較して検討してきたわけだが、最後に社会制度の面、とくに経済活動の分野の例を挙げておきたい。

そもそも、経済あるいは商業の原点は、いかなる文化においても物々交換にある。われわれが敗戦後に行なった、着物を持っていってお米を買うようなことを、現在でも行なっている民族がいるのは、ご承知のとおりである。

その次の段階が、金・銀・銅などを貨幣として用いる経済である。

日本で、この意味の貨幣経済が実質的に始まったのは、鎌倉時代ころであった。

もちろん、日本における最初の貨幣は、奈良時代の和銅元年（七〇八）に鋳造された和同開珎《わどうかいちん》だが、これはほとんど流通しなかったようである。

発行後三年目には、銭貨《せんか》の流通を促《うなが》す命令が朝廷から出ているし、聖武天皇の天平三年（七三一）には、廷臣に銭を与えたりしている。これらは、いずれも通貨の流通を何とか促進したいがための策である。社会がある程度進まないと、貨幣は流通しないものである。

しかし、貨幣は次第に流通するようになり、平清盛《たいらのきよもり》のころになると宋《そう》から銭を入れるほどになった。彼が福原《ふくはら》（現在の神戸）に都を移したのは、宋との交流に便をよくするためで、事実、そのとおりになった。

そして、鎌倉時代には銭の便利さが、全国に徹底するようになった。これは、頼朝《よりとも》による天下統一とも関係があったと思われる。

このとき使われていたのは、当時の宋あたりから伝わった、いわゆる宋銭《そうせん》であったが、このとき日本人は、いわば「おカネ好き」としか言いようのない反応を示したのであった。

つまり、上から下まで、目の色を変えて宋銭を集めたのである。

当時の様子を伝える『百練抄《ひやくれんしよう》』という歴史書（鎌倉後期の成立。編者不詳）に「近年、天下の上下病悩《びようのう》す。これを銭《ぜに》の病《やまい》と申す」という一節があるが、新興の貨幣経済に否定的な人間から見れば、病気としか思えないような状況であった。

だが、足利氏の時代になっても、幕府は銭を鋳造することを怠《おこた》っていた。それで、日本人は明《みん》から永楽銭《えいらくせん》などを買い集めたが、あまり甚《はなは》だしかったので、明で銭不足が起こったほどだという。倭寇《わこう》の主目的も、銭にあったと言われている。

そこで、足利大名でも、周防《すおう》の大内《おおうち》氏や但馬《たじま》の山名《やまな》氏は、自分のところで銀貨を造って、必要を補った。しかし、何と言っても、金銀の貨幣を中央政府の標準通貨として確立したのは、信長の功績であったことは強調しておきたい。

さて、現代の常識からすれば、銭を好むことなど当たり前であろうと思われるかもしれない。だが、世界的に見れば、それほど当然のことでないことは、朝鮮半島、つまりコリアの歴史を見ればよく分かる。

コリアの国王は自分の宗主国《そうしゅこく》・シナで貨幣経済が行なわれていることを知って、これを自分の国でも通用させようとしたが、何度試みてもほとんど成功しなかった。そのため一種の物々交換経済が、かなり長く続いた。

小額の銭は、日本の徳川前期には通用しはじめていたらしいが、それでも鎌倉以前の日本の程度であったようである。明治になっても(一九一〇年の日韓併合以前)、日本の小額の銭を使っていたと言うから、中世の日本が宋銭や明銭を買っていたのと似たようなものである。

柴五郎《しばごろう》中尉(陸軍軍人。のちに大将)が明治二十一年、北京《ペキン》から朝鮮半島を経由して日本に帰

ったとき、朝鮮には紙幣も銀貨もなく、一厘《りん》銭のような銅貨があるだけで、しかも農民に銭を貯《たくわ》えるという考えもないことを観察している（村上兵衛『守城の人』光人社刊・三二九ページ）。

コリアの人々が国を挙げて貨幣を使うようになったのは、日韓併合以後といっていいし、また、自前の貨幣を持つには、第二次世界大戦が終わる昭和二十年代を待たなければならなかった。

「帳簿こそ、近代精神の象徴」

とはいえ、けっして日本人だけが貨幣を好んだわけではない。それは珍しいことではない。だが、貨幣を使う段階から、もうひとつ上の段階の経済、すなわち信用経済に突入した文明は、まことに少なかった。

シュペングラーはその文明論の中で、信用経済への発展のメルクマール（指標）として、帳簿による支配という点をひじょうに重視している。

すなわち、個人でも、企業でも、目の前に現金や資産を積まないと、安心できなかったり、自分の置かれている経済状況が分からないというのは、まだまだレベルが低い。ローマ人も、所有している奴隷を眺めて、自分の富裕度をはじめて感じたのである。

今でも子どもは、正月にもらったお年玉を手元に置きたがって、銀行に預金するというと嫌が

るものだ。これは、昔の王様が自分の城に金銀財宝を積み上げて富を誇ったのと、まったく同じ理屈と言ってよく、あまり高級な感じ方とはいいがたい。

ところが、現代のわれわれは、銀行の通帳（これも一種の帳簿である）に書かれた残高数字を見るだけで、「これだけの資産を持っている」と安心できるし、それによって将来の計画を立てることもできる。

だが、帳簿の意義はそれだけにとどまらない。

帳簿に記されている数字は、現在持っている貨幣の額を表わすだけではない。土地や商品といった資産も、すべて数字に置き換えられて記《しる》されている。つまり、貨幣も土地も、帳簿上はまったく同列に扱われるということである。これこそが、帳簿の概念のなかで、最も重要な点なのだ。

これは、近代物理学の発展の歴史と較べてみれば分かりやすい。

ニュートンなどは、恒星や月の運行の規則を、リンゴの落下運動とまったく同列に扱おうと考えた。そして、そのためにすべての運動を数字に置き換えるというアイデアを導入したのであった。この発想こそが、近代物理学を生みだしたのは紛《まぎ》れもない事実である。

同様に、経済のすべての動きを数字に表わして把握しようというのが、帳簿の発明につながるのである。シュペングラーは、帳簿の発明者は同時代のコペルニクスやコロンブスに匹敵すると

書いているが、まさにそのとおりであろう。

そして、経済のあらゆる動きを、どんな例外も許さず、徹底的に数字に置き換え、抽象化していこうという発想の原動力となったのが、例のファウスト的精神だったのは言うまでもない。

さて、日本でも徳川時代になると、単なる貨幣経済を抜け、信用経済に突入していく現象がいろいろ現われてきた。独自の帳簿も作られるようになったが、それ以外にも、さまざまな発展が見られる。

江戸の信用経済は、なぜ生まれたか

当時の日本における経済の中心は、江戸と大坂という二大都市であった。大坂が米などの物資の集積・取引地であり、江戸がその消費地であった。大坂から物資が江戸に下《くだ》り、江戸でその代価を支払うというのが大きな流れであったが、その決済は千両箱を馬に積んで大坂に運ぶというようなことはしなかった。

それは、たとえば箱根の山には山賊がおり、宿場には盗賊が出るという治安の悪さに負《お》うところが大きい。だから、武器を持たない町人が巨額のお金を運べるわけがない。それでも、幕府だけは現金を運んでいたが、そのカネすらも盗賊に襲われるということが実際に起こっている。

では船で運ぶのかといえば、前にも触れたとおり、江戸時代は外洋を航海できる大型船を造る

ことが禁じられていた。このため、船は小さく、遭難が絶えないわけで、千両箱を積んだまま沈まれたのではたまらない。

とくに全国に点在している幕府の小領地、つまり天領《てんりよう》には代官がいたが、彼らは年貢《ねんぐ》として得た金銀や、米穀《べいこく》を売った金銀を最初は飛脚で送っていた。このため、道中には非常な面倒があった。

ところが、三井《みつい》家の先祖が、西南地方の代官たちから金銀を受け取り、それを六〇日以内に江戸で三井家の責任において支払うという為替制度を考案、実行したのである。

どんな大金でも紙一枚にして、大井川《おおいがわ》を渡り、箱根山を越えたのであるから安全確実である。また、盗んでも使いようがないから盗賊にも狙《ねら》われない。実際には、江戸・大坂間は一五日もあれば充分であり、残りの日数の分だけ三井家は金利を稼ぐことができた。

かくして為替は、日本において自然発生し、定着して信用経済の根幹となるのである。これが、すでに一六八七年（貞享四）に始まっていることに注目しよう。

ところで、この為替手形とカネは、似ているようだが、基本的な部分でまったく違う。当時のカネは、金・銀・銅で造られているから、それ自体に価値がある。ところが、為替手形というのは、紙に書かれた一種の証文である。すなわち、それ自体は一文の価値もない。

このような文字や数字の書かれた紙切れによって、一国の経済が動いているということは、ま

ったく新しい経済の段階に日本が入っていたことを示すものと考えるべきである。

世界初の先物《さきもの》取引所・堂島《どうじま》米市場

それどころか日本では、「何もないもの」の売買も盛んになった。つまり、先物《さきもの》取引が始まったのである。

大坂の堂島《どうじま》米市場が出来たのは、一六九七年（元禄十）のことであるが、注目すべきは、この米市場で、春にはその年の秋に収穫される米の売買を行なうという、すなわち米の先物取引が一七三〇年（享保十五。八代将軍吉宗《よしむね》の時代）から行なわれていたことである。

もちろん、実物の米は、まだどこにも存在しない。また、秋にどのくらいの収穫があるかも分からない。だが、当時の堂島では、先物を売る人と買う人がちゃんといて、堂々と市場が立ったわけである。

こういう取引を、当時は「帳合米商内《ちょうあいこめあきない》」と言っていたが、帳簿に記入、計算するだけで取引が成立するわけだから、今の言葉に直すと「清算取引」である。

「帳簿による支配こそ、ファウスト的精神の現われ」と言ったシュペングラーの言葉そのものではないか。

これを西洋との対比で考えれば、西ヨーロッパで先物取引市場が成立したのは、最も経済の進

んだイギリス（リバプール）においてであったが、そのイギリスでも市場の成立は一八六二年で、大坂の堂島よりも一三〇年も遅かった。

私の郷里の山形県鶴岡《つるおか》市の近くの港町・酒田《さかた》には、本間《ほんま》家という大富豪があった。その本間家から出た本間宗久《そうきゅう》（一七一八〜一八〇三年）は、米相場の名人として有名であり、相場の研究書を残している。

それはもちろん秘伝として伝わっていたのだが、面白いことに現在でも、その本（『宗久翁秘録』）は兜町《かぶとちょう》の近くの書店などで売られており、証券の専門家が熱心に読んでいるという。

言うまでもなく今日の経済は、徳川時代とは比較にならないほど複雑になり、しかも、すべての決済がコンピュータ・ネットワークの中で行なわれる「電子記号の経済」である。これだけ環境が変化してもなお通用する法則を、徳川時代に日本の、それも江戸や大坂ではなく東北の人間が発見していたのである。

また、これは本間宗久ではないが、徳川時代の米相場においては、いわゆる罫線《けいせん》、つまり相場のグラフを作るということも独自に行なわれていた。それは、今日用いられている罫線と形式においてまったく変わらず、それが今日でも用いられているところに、当時の日本人の近代性が示されていると思うのである。

以上、いろいろと見てきたが、徳川時代は鎖国によって、日本はアジア的停滞社会に入ったご

▲大坂・堂島《どうじま》米市場では、西洋より130年も早く信用取引が始まっていた（図・米商《こめあきな》いで賑《にぎ》わう堂島の風景）

◀相場の天才・本間宗久の秘伝書は、現代でも読まれている

とくに見えながら、政治的に禁圧されていた分野を除けば、ほとんどの面で、近代ヨーロッパと同じようなことを、いわばファウスト的精神で独自にやっていたのである。すなわち、知力の発達がヨーロッパとほぼ同じ水準で動いていたと考えて間違いないのである。

さて、そういう時代にアメリカから黒船がやって来たのである。

第三章

世界史の分水嶺《ぶんすいれい》――日露戦争

――帝国・日本が「白人の時代」の流れを変えた

(1)日本の運命を決めた「イメージの力」

なぜ、日本人だけが黒船を自作できたか

黒船の来航については、次のようなことが言われている。

「黒船に乗った白人は世界中に行った。しかし、黒船を見た途端《とたん》に、自分たちで黒船を造ったのは日本人だけだ」――と。

司馬遼太郎《しばりょうたろう》氏も書いておられるが、黒船が来たのを見て自力で黒船を造った藩が三つあった。島津《しまづ》の薩摩藩、鍋島《なべしま》の佐賀藩、伊達《だて》の伊予宇和島《いようわじま》藩がそれで、黒船来航からわずかの期間で、蒸気で動く船を造ってしまった。別に白人の指導を受けたわけではない。

もちろん、イギリスやアメリカの船と同じような立派なものであったわけがない。しかし、それまで長年続いた幕府の禁制があったため、自由な発展ができなかった自然科学の分野においても、当時の最先端技術である蒸気船が自力で造れるほどに人知が進んでいた、ということが重要なのである。

また、日本人は日米和親条約締結（一八五四年）の前後、しばしば黒船を訪ねている。そのときの日本人の様子をアメリカ人が書き残しているが、当時の日本人の知力の高さがうかがえて、たいへん興味深い。

アメリカ人たちは、「野蛮国」の日本人がさぞや驚くであろうと、最先端の機械などをつぎつぎと見せる。ところが、いっこうに日本人は驚かない。興味深そうにはするのだけれど、驚きの様子がない。また、見たものには何でも触ろうとする。「こんなに何でも触りたがる人種は他に見たことがない」と、アメリカ人が呆《あき》れるほどであった。そして、要所要所では、懐《ふところ》から帳面を取り出して、スケッチをしたという。

ざっと以上のような記述があるが、これほど幕末の日本人の特徴を鮮やかに示している言葉はないのではないか。

これを、当時の日本人の側に立って説明すれば、驚かないのは当然の話で、すでに西洋の文物はあらかた書物で読んで知っていたのである。それに、根底には「自分たちでだって造ろうと思えば、すぐにできる」という自信があったから、ひるんだりもしない。ただ、実見するのは初めてだから興味津々《しんしん》であっただけの話である。

そして次に、本で読んだものと違いがないか、あるいは、実際にはどんな材料で造っているのかを確認したくて、触って確かめた。また、そうやって見たり触ったりすると、ここかしこに面

白い工夫がなされていることに気づくため、それを帳面に写したというわけである。

こんな形で西洋文明と対面した有色人種の国は、日本以外にないということに、われわれはもう一度注目したいと思う。

福沢諭吉なども、外国に行って自然科学の産物をいろいろ見せてもらったけれども、それ自体に驚くべきものは何もなかった、ということを書いている。

白人の〝手の内〟も理解できた日本人の知的レベル

自然科学の面において、日本人が全部理解できる状況にまであったのは、もちろん長崎の出島《でじま》を通じてオランダからの情報が入っていたからである。しかし、もっと重要なことは、わずかに入っていた国際状況の情報から、当時の白人たちの考えていることまで分かるほどになっていた、という点である。

たとえば、幕末、フランスは幕府にひじょうに肩入れして、武力援助を幕府に申し出ている。また、イギリスは薩摩や長州に親近感を持って、彼らを援助しようと申し出ている。

ところが幕府も薩長も、その外国からの援助の申し出を断わった。もちろん、幕府と薩長は戦争をしているわけであるから、ともに相手に勝ちたい気持ちは山々である。

だが、ここで外国の援助を受け容れるわけにはいかない。なぜなら、自分たちが勝ったにして

も、戦争のあとに諸外国が、つまり列強が代償として、この港をよこせ、あの島を貸せと無理難題を吹きかけ、最後にはインドやシナ大陸のように植民地にされるに決まっている、と分かっていたからである。つまり、ちゃんと相手の手の内が読めていたのである。

なるほど、歴史の教訓を充分に身につけている今日のわれわれにとっては、イギリスやフランスがそういう意図を持っていたことはよく分かる。しかしそれが、その時点での当事者となったとき、はたして分かるかどうかは大いに疑問である。

現実には、白人の手の内が読めなかった国のほうが、ずっと多かった。そして、そういった国は多くの場合、植民地にされてしまったのである。インドがイギリスによって植民地にされたのも、同じ民族の内紛につけこむ白人の手口が分からなかったことが大きな原因であった。

明治維新が成功し、国家としての独立を守りえた基本要件として、私は、日本人のこの知力の高さにまず注目したいと思う。

恐るべき「イメージの力」

さらに、注目すべきことは、末期の幕府や明治政府が多数の留学生を海外に出したということであった。明治政府などは、その人物がかつて倒幕派であったか佐幕派であったかを問わず、能力本位で留学生を派遣したほどで、海外留学にはじつに力を入れた。

今でこそ留学生は世界中に満ちあふれている。だが、十九世紀末の段階で、非白人国として留学を本気で考えた唯一の国は、日本だけであった。後で詳しく述べるが、シナ人にはこういう発想は生まれなかったし、インド人もしかりであった。

ところが日本人は、実際に留学を実践したばかりか、大いなる成功を収めた。この点が明治維新の成功を考えるうえで、きわめて重要なポイントと言えよう。

では、なぜ日本人のみが留学ということを考えついたか。もちろん、聖徳太子の遣隋使《けんずいし》以来、外国に勉強に行くという伝統が血肉となり、日本人の頭の中には絶えずあった、ということもたしかにあったであろう。

だが、何より重要なことは頭のいい者を海外に送り出して勉強さえさせれば、すぐ追いつけるはずだという確信が、その前提にあった点にある。

幕末・明治の人々は、それこそ欧米先進国と自分たちとの工業技術の差の大きさに愕然《がくぜん》とした。その象徴的な出来事が、浦賀にやってきた黒船であったことは間違いない。

しかし、当時の日本人たちは愕然とはしたけれども、絶望はしなかった。それは「われわれは鎖国の平安の中で寝すぎただけだ」という、いわばウサギとカメの競走での〝ウサギの後悔の心〟にも似た心境であった。

だからこそ、すでに述べたように、あっという間に黒船を自作してしまう藩が現われたのであ

る。そして、これを可能にしたのは、知力の高さも不可欠だが、それ以前に「もはや欧米諸国には追いつけない」という絶望感は、当時の日本人には微塵《みじん》もなかったからに外《ほか》ならないだろう。

また、これは、日本人の心のどこかに、戦国時代の鉄砲は世界中のどこに出しても恥ずかしくないものだったという記憶があったからではなかっただろうか。

これは別の言葉で言えば、イメージの問題と言うことができよう。

すなわち、日本人の心の中にあった西洋文明のイメージは、挑戦不可能なほどに険《けわ》しい山というよりも、すこし我慢すれば登れる程度の山だったのである。しかも、その山の頂上に登りつめた自分の姿をもイメージしていたのだが、これは鉄砲の体験による自信が、やはり大きかったと思えるのである。

さらに、世界中の有色人種の中で、西洋文明に対し、当時そのようなイメージを持っていた民族は日本人の他にはなかったと断言できる。日本人以外の有色民族は、西洋文明に対し、自らは挑戦不可能と思うか、あるいは反発心のあまり、西洋文明を全面否定したり逃避するような態度を採った。

このように、イメージが民族の運命を分けるということで言えば、今日の日本が半導体王国になりえたことも、その一例に当たるだろう。

それは、ロボットに対するイメージが、日本と欧米諸国ではまったく違ったからである。日本

人は「鉄腕アトム」、「ドラえもん」に象徴されるように、ロボットを人間のよき仲間とイメージしてきたのに対し、欧米人は「フランケンシュタイン」やカレル・チャペック（チェコの作家）が戯曲『RUR』で描いたロボットのような邪悪なイメージで、これを捉《とら》えていた。

このため、ロボットの活用において欧米は二歩も三歩も遅れることになり、完全無人化工場で半導体を造れる最先進国は日本だけ、ということになってしまったのである（詳しくは拙著『日はまだ昇る』祥伝社刊を参照されたい）。

まさにイメージの力には、恐るべきものがあると言わねばならない。

近代留学制度を創った日本の功績

話を戻そう。

新政府の留学制度は大いに成功を収め、日本はたちまちにして、近代国家になった。そして、この成功を見たときに、世界中の国々が先進国に留学生を出しはじめたのであった。特に、第二次大戦後は〝留学の世紀〟と言ってもいいほどの様相を示したが、これも日本の明治維新の成功なかりせば、起こりえない現象、と言えるのである。

私は、留学制度について、ある印象深い記憶を持っている。以前にも書いたが、それは一九五五年にドイツへ行っていたときのことである。

▶地球上で日本人だけが、白人の黒船を自分の手で造ろうと考えた

◀ロボットを〝善〟のイメージで捉《とら》えたのも、日本人独特の発想だ

カトリック学生の集《つど》いの席で、ある若い韓国人神父が「日本は近代国家になったと言っているが、それはみんな物真似ばかりではないか」と発言したことがあった。

それに対して、私は「日本人はたしかに欧米先進国の真似をしたが、その真似のやり方が独創的であったのだ。当時の先進国である欧米を真似できると確信したことこそが日本人の独創であり、それに成功したからこそ、他の諸国も日本の真似をしたのではないか。たとえば、君がここにいるのも、日本人が始めた留学制度の真似ではないか」と反論した。

その場の雰囲気がやや険悪になり、同席していたドイツ人の先生や学生たちがとりなそうとして、「われわれはキリストの名のもとに兄弟なのだから」と言うと、その若い韓国人神父は「いや、キリストの名のもとにおいても、日本人と韓国人は兄弟ではない」と発言したので、同席した人は一同、たいへん驚いたという経験を持っている。

断わっておくが、当時も今も、私には韓国人の友人がたくさんいる。ドイツの大学の寮での隣室にも韓国人がいた。彼は私と同じ上智大学の卒業生で、私の先輩ということもあり、また気のいい人でもあって、たいへん親しくしてきた。また、ドイツ人の家に下宿していた韓国人の留学生——彼は戦前の日本の国立大学の出身者であった——とも親しくさせてもらった。

そういうわけで、私自身は個々の韓国人に悪感情を持っているわけではないが、それでも韓国人総体として見るとき、日本人の業績をつねに過小評価しようとする心理が働くようで、この点

は残念に思っている。

旧李朝時代を知っている世代のコリア人にはそんなことはなかったと思うのだが、李承晩《りしょうばん》（韓国初代の大統領）以後の洗脳的教育を受けた若い世代にその傾向が強いのではなかろうか。

彼ら若い世代は、西洋文化など、勉強すれば誰にでも吸収できるものだということを初めから信じている。これは、他のアジア諸国の人々も、今や常識だろう。

ところが日本人が、明治維新を始めたときは、どこの国もそうは思わなかったのである。それどころか、他のアジア諸国が大々的に留学制度を実践するようになったのは、第二次世界大戦以後のことであり、これは、あらためて指摘し、主張しておきたい点である。もちろん、植民国の王子や富豪の子弟が、その宗主国に留学することはあったが、日本人の留学とは趣旨が違う。

北里柴三郎《きたざとしばさぶろう》――「幻のノーベル賞」の真相

さて、明治政府の留学制度は、単に文部省が各分野の秀才を送っただけではなかった。海軍省、陸軍省、鉄道省、司法省など各省が、その分野において最も優《すぐ》れている国の最も優れた機関へ、みな秀才を送った。それも単に表面的知識だけでなく、それを生みだした制度をも学んでくるようにしたのである。

これがきわめて速やかに学習効果を上げたことは、具体例で示すことができる。

たとえば、一九〇一年にノーベル賞は発足したが、矢野暢《やのとおる》著『ノーベル賞』（中公新書・一二二～一二六ページ）によると、その医学賞の第一回の最終候補に残った医学者の中には、コッホ（一八四三～一九一〇年。結核菌、コレラ菌の発見者）とともに日本の北里柴三郎《きたざとしばさぶろう》（一八五二～一九三一年）の名前があったという。

実際に受賞したのは、最終候補にも挙がっていなかったドイツのベーリング（一八五四～一九一七年）であったが、ノーベル賞の最終候補に残るほどの評価を得た人物が、明治維新からわずか三十余年で現われていることには、今さらながら驚かされる。

しかも、じつはこのベーリングと北里とは、同じコッホ博士の研究室の同僚であり、ベーリングの受賞理由となったジフテリア菌の血清療法の研究は、彼が北里と破傷風菌の共同研究を行なったこと、しかも、そこで北里が血清療法を創案したことが原点になっているのだから、〝本家〟の北里にノーベル賞が与えられていても不思議ではなかった。

先ごろ、小錦《こにしき》の横綱昇進問題が話題になったが、北里の話にはそれと共通したところがあるように思われるのである。

相撲では、大関までは、外人であろうと実力さえあればスムーズに昇進しても、誰もどうも思わない。ところが、横綱ともなると実力以外の点も問題にする人もあって、論議が起こったわけだが、これと同じような問題が、何倍も強い形で北里にも降りかかったと推測される。

ましても当時は、現在とは比較にならないほどの人種差別――白人の優越感――があった。しかも、この人種差別への非難の声はほとんどなく、今日では想像を絶することだが、それが美徳ですらあった時代なのである。

また、当時のヨーロッパ医学界はドイツが席巻《せっけん》していたという事情もあり、結局、ノーベル賞はドイツ人ベーリングに与えられた。下世話に言えば、「北里は業績はいいが、顔色が悪い」という判断だったと勘ぐっても許されるであろう。

白人の独占を覆《くつがえ》した日本人科学者たち

このようなことは、その後もよく起こった。医学の分野で、もう一つ例を挙げれば、野口英世《のぐちひでよ》（一八七六～一九二八年）がある。

彼は一九一一年に梅毒の病原体スピロヘータを、マヒ性痴呆患者の大脳の中から発見して世界に示した。これは、医学史上、精神病の病理を明らかにした最初の成果でもあった。それまでは、精神病といえばヨーロッパでは悪魔つき、日本ではキツネつきなどと言われていたわけであるから、野口英世は、厳密な意味で精神病を医学的対象にした最初の人物だと言ってよい。

だから、当然、ノーベル賞をもらってもおかしくはない。実際、二回推薦され、最終候補に残っている（前掲書・一二六～一二九ページ）。

しかし、やはり結局もらえなかったのは、顔色が悪かったからであろう。あるいは野口英世の場合、うんと長生きすれば受賞できたかもしれない。だが、黄熱病《おうねつびょう》の研究中に亡くなってしまったのは、日本の医学界のためにも惜しまれる。

野口英世の業績に対する評価は、彼の死後、ますます高くなっていったようである。

たとえば『ブリタニカ百科事典』を見ていくと、版が新しくなっていくにしたがって、野口に充《あ》てられたスペースが大きくなっている。最新の十五版（一九七五年）では、写真までが載《の》るようになった。自然科学者は、その研究の性質上、版が新しくなるにつれてスペースが小さくなり、しばしば消えていくのが通例である。やはり野口英世の業績というのは桁外《けたはず》れに立派なものだったと、思われるのである。

こういう例は、まだまだ挙げられる。

たとえば、ビタミンBであるオリザニンも、野口と同じころに鈴木梅太郎《すずきうめたろう》（一八七四〜一九四三年）が発見している。後に、さまざまなビタミンの発見者がノーベル賞をもらい、史上初めてビタミン類の発見をした鈴木がもらえないのも、じつに不思議な話である。これも要するに、顔色の問題ではなかったか。

また、細菌学の分野では、赤痢菌を一八九八年に志賀潔《しがきよし》（一八七〇〜一九五七年）が発見している。当時は細菌学が医学の最先端の分野であり、その細菌学で多くの発見を日本人がしている

▲◀北里柴三郎《きたざとしばさぶろう》(上)も、野口英世《のぐちひでよ》(左)も、世界第一級の業績を上げながら、ノーベル賞を受けることがなかった。それは結局のところ、〝顔色〟ゆえの悲劇ではなかったか？

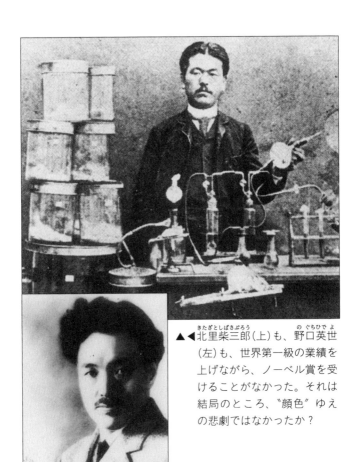

ということは、日本の医学界が世界のトップを走っていたと言うことができよう。

医学以外の分野でも例を挙げれば、天文学の木村栄《きむらひさし》（一八七〇～一九四三年）がおり、彼は、地球の緯度変化の法則を示す新しい定数Z項を発見している。

このように、西洋人が自分たちしかできないと思い込んでいた自然科学の分野で、日本人が多くの業績を残すようになった。これもやはり、この時点において、自分たちも自然科学を欧米人と肩を並べて研究できると確信した有色人種は日本人だけだった、ということを如実に物語っている。また、その後、有色人種の活躍が始まるようになったのも、まず日本人が実際にやってみせて、心理的なブロックを取り払ったからに外《ほか》ならない。

しかし、こういうことはあくまで専門分野であり、一般の人々の注目を集めにくい業績であった。

(2)日露戦争は「コロンブス以来の大事件」だった

世界最強の軍事国家・ロシア

そこに世界中の人々の度肝《どぎも》を抜くような事件が二十世紀の初めに起こった。日露戦争（一九〇四～〇五年）である。

日露戦争について近年では、その歴史的意義が語られることが少ない。それどころか、どうも戦後、「ソ連はわが祖国」というような発想の人間が日本の歴史界、とくに教科書の執筆に幅を利《き》かせたため、この戦争自体をよく知らない人が多くなった。

しかし、この戦争は二十世紀の幕開けとも言うべき超重大事件であった。

当時のロシアといえば、世界最強の陸軍国であり、海軍もイギリスに次ぐほど巨大であった。なにしろロシアのコサック騎兵（111ページ注）は、あのナポレオンですら裸同然で追い返したほどの実力の持ち主であった。

十九世紀後半にビスマルク（一八一五～九八年。政治家）が築いた大ドイツ帝国は、無敵の陸軍

を有していた。その参謀総長はモルトケ（一八〇〇～九一年）であり、彼も軍事の天才として世界中から尊敬されていた。ビスマルク＝モルトケのドイツはデンマークを討ち、オーストリア帝国に七週間で完勝し、フランス帝国を半年足らずで崩壊せしめた。

しかし、そのドイツ帝国ですらも、絶対にロシアとは戦わないというのが基本方針で、この国との戦争を回避した。これは、軍事的に見て、かならずしも勝ち目はないと判断したからに外《ほか》ならない。

その理由の一つは、当時の騎兵の力の差だった。

通常の陸戦ではドイツ軍は強い。だが、これという山岳地帯のない、したがって身の隠しようのない東部戦線において、ナポレオンをも追い返したコサック騎兵と戦えば、これはきわめて危険である——このような認識があったがゆえに、ビスマルクですら、ロシアとは戦わないという大前提で、すべての外交政策を立てていたのである。

それと日本が戦うというのであるから、これは正気の沙汰《さた》ではない。もちろん、誰も日本が勝つとは予想していなかった。

コリアの近代化が日本の死活問題だったわけ

しかし日本の立場からいえば、戦わざるをえない事情があった。

日本が開国し、明治維新を行なったとき、アジアの有色人種の国はみな、白色人種に制覇されようとしていた。そこで、日本は白人国家から身を守るための仲間として、有色人種の独立国が欲しいということで、まず隣のコリアを誘った（明治元年、二年、三年の合計三回）。ところが、この話はこじれてしまう。

原因はじつに些細《ささい》な問題で、日本から出した外交文書の形式が、彼らの気に入らなかったというだけのことである。要するに、日本の天皇がシナの皇帝と同じ言葉遣いをしているということが問題になったのである。日本の天皇が「皇」や「勅」といった文字を使っているのは、朝鮮を属国視するものだと言うのである。

当時のコリアの王朝（李氏朝鮮）にとっては、シナは宗主国である。したがってシナの皇帝からの外交文書は、形として臣下に与える勅語《ちょくご》という形をとる。そこに日本から、シナ皇帝と同じような言葉遣いで外交文書が届いたから、彼らが気分を害したのも無理はない話である。

だが、当時の日本にしてみれば、隣国のコリアに英語やフランス語で外交文書を出すのもおか

●**コサック**――ロシアの辺境地帯で活動した騎馬集団。その多くは、逃亡農民の出身であった。しばしばロシア政府に反乱を起こしたが、一方でシベリアなどに進出し、ロシアの版図《はんと》を広げることにも貢献。十九世紀ごろからはロシア軍に編入され、その精強を誇った。

しな話だから、双方理解できる漢文で書こうと判断したにすぎない。また、外交では先例を最も重んじるため、シナの形式なら無難《ぶなん》だろうというぐらいの気持ちで、日本は起草したのであった。また、当時の日本は、コリアに向かって「臣下の礼」を取れと言う気は、さらさらなかった。

文字どおり、言葉の行違《ゆきちが》いであったが、日本が訂正した後も朝鮮の態度は変わらなかった。事実、一八七〇年（明治三）の日本側の国書には、朝鮮の嫌う「皇」、「勅」、「朝廷」などの字はすべて避けてあったが、それでも朝鮮は明治政府との直接交渉を拒絶し、かえって排日・侮日《ぶにち》の気勢を上げたのである。

しかし、こののちも、日本はコリアの独立をしきりに求めた。日本にとって、コリアが近代化し、日本の同盟国になるかどうかは、それこそ死活問題であったからである。コリア半島が欧米、ことにロシアの手に落ちて植民地化すれば、日本の将来はない。

ところが、今度はコリアの宗主国・清《しん》国が、余計なことを言うなと日本に圧力をかけはじめた。清国の言い分は、コリアは二〇〇〇年来、清国の属国であり、日本ごときが今さら口を出す筋合いのものではない、という趣旨であった。

これがやがて、日清戦争（一八九四～九五年）となり、結果として日本が勝利を収めることになったのは、歴史の示すとおりである。

朝鮮皇帝誕生の歴史的意義

日本は、当時の国際習慣として賠償金と関東州などを清国から受け取り、また、清国の承認によりコリアは独立することとなった。そして当時の朝鮮国王が、韓国皇帝と呼ばれるようになったのである。

国王と皇帝という呼び方は、一見似ているように思われるかもしれない。だが、国王が皇帝と呼ばれるようになったという事実は、韓国の独立をじつに象徴的に表現しているのである。

そもそも、皇とか帝とかいう文字は、これは漢字文化圏においてシナの皇帝一人に対してのみ、許されるものであった。これに対して、王というのは何人いてもいい。皇帝の子どもは王であり、大功を立てた家臣も王になることがある。

たとえば、漢の高祖《こうそ》（前二四七～一九五年。前漢の始祖）の家来で、股くぐりの故事で有名な韓《かん》信《しん》（?～前一九六年）は斉《せい》王になっている。また、シナ周辺のいわゆる「蛮族」の酋長《しゅうちょう》も、すべて王と呼ばれている。百済《くだら》王、新羅《しらぎ》王、あるいは朝鮮王などが、それに当たる。

この中で例外は日本であって、その首長は天皇、あるいは日本皇帝と名乗った。

聖徳太子《しょうとくたいし》が、隋《ずい》の国に最初の使者（小野妹子《おののいもこ》）を送ったとき、その国書に「天子」「東天皇」という言葉を使ったという話は、あまりに有名である。

もちろん、聖徳太子の国書の文言を見て、隋の煬帝《ようだい》が「悦《よろこ》ばず」、すなわち腹を立てたという

記録も残っている。しかし、いかにシナの皇帝が腹を立てても、相手は海の向こうであるから征伐するわけにもいかない。だから、日本ではそのまま皇帝、天皇で通せたという幸福な事情があった。

しかし、コリアは地続きであるから、同じ真似をするわけにはいかなかったため彼の地は、ずっとシナの属国、つまり彼らの首長は王のままであった。

ところが日清戦争で日本が勝ち、朝鮮が独立したため、コリア民族始まって以来はじめて、大韓帝国と称し、その国王も皇帝と称することができたのである（と言っても、それは日清戦争が終わってから日韓併合までの十数年間でしかなかったが）。

満洲に南下するロシアの脅威

さて、言ってみればコリアは日本のおかげで清国から独立したのであり、当然のことながらコリア国内では親日派、すなわち韓国近代化推進派が力を得て、日韓関係はうまくいく態勢ができることになった。そのまま進んでいれば、日韓関係は別の、両国にとって幸せなコースを歩んでいた可能性がきわめて大きい。

だが、日清講和条約の締結直後に、いわゆる三国干渉が始まったのであった。つまり、ロシア、ドイツ、フランスが日本に干渉し、日本が清から得た領土を返せと言い出したわけである。

もちろん、当時の日本には、そのような先進白人国からの圧力を跳ね返すだけの力はなく、しかたなく日本は関東州を清国に返したのであった。

ところがその舌の根も乾かぬうちに、フランス、ドイツはシナから植民地をむしり取り、ロシアは日本が返した関東州を手に入れることとなり、この結果、満洲は全部ロシアの領土になってしまったのである。

当時、満洲でいかにロシア化が進んだかについては、『ラストエンペラー』という映画の原典になった名著『紫禁城《しきんじょう》の黄昏《たそがれ》』の中で、著者レジナルド・フレミング・ジョンストンは、「もうそれは、（ロシアの領土であるトルキスタン、キルギスタンのように）満洲スタンと言ってもいい状況であった」という趣旨のことを書いている。

事実、イギリスのキリスト教の布教団体では当時、満洲およびロシアを一括して一個の布教地域として指定している。このように第三者までが、満洲はロシアの一部になったと認めていたのである。

余談になるが、この『紫禁城の黄昏』の著者ジョンストンは、〝ラストエンペラー〟宣統帝溥儀《せんとうていふぎ》の先生であり、皇帝が最後まで信頼した人物でもあったから、この本は同時代人の証言としては第一級のものだと言っても差し支《つか》えない。

映画『ラストエンペラー』によってこの本が脚光を浴びてくると、岩波文庫からも翻訳が出た。

だが、奇怪なことに、第一章から第十章まで、すなわち日露戦争以前の満洲の状況に関する章は、〝著者（ジョンストン）の主観的色彩が強い〟として全部削《けず》られ、序文の一部も削除されている。

はたして、その部分が著者ジョンストンの主観かどうかは、それこそ主観の問題であり、それは読者が決めればいいことで、出版社や訳者が決める問題ではあるまい。おそらく、その削除の方針から見て、翻訳者や出版社にとって、日本の読者に読ませるのはいいいいいいいい不都合という判断があったからだと推測されるが、このため岩波文庫版は、読むに値《あたい》しないものになってしまっている。

ついでに言っておけば、ジョンストンは帰国後、ロンドン大学教授、東方研究所極東部長になり、その学識は政治的立場に関係なく尊敬されていた。数多い彼の著作は、当時の極東状況研究の第一級の研究書である。

「開戦、止《や》むなし」

さて、この三国干渉のとき、日本が白人の圧力に容易に屈したのを見て、韓国内ではムードが一変し、反日勢力が力を得ることとなった。日本はシナ人には勝ったが、白人の前ではペコペコしているという印象を韓国人たちは持ったのである。

このため、韓国では親日派と親露派が争いはじめ、その結果、韓国の帝室は親露派と結び、こんどは親露侮日の風潮が盛んになった。それゆえ、逆に日本人が韓国王妃を殺害する（一八九五

年十月）というような事件が起こったり、ロシアの軍隊が韓国皇帝を王宮から奪ってロシア大使館に移したり、多数の日本人が殺されるという事態が起こったりした。

これは、言ってみれば、どっちもどっちといった事件であり、今日の尺度で単純に論じられない状況があった。が、大局的に見れば、韓国が親露政策、さらには反日・侮日政策を採ったわけであり、このことが両国の関係における決定的なターニング・ポイントになったのは間違いない。

これで勢いに乗ったロシアは、一九〇三年（明治三十六）、韓国から北朝鮮の龍岩浦《りゅうがんぽ》（鴨緑江《おうりょくこう》河口の港町）を手に入れて、これをポート・ニコラスとした。この港は黄海《こうかい》に出る要衝《ようしょう》であり、関東州（遼東《りょうとう》半島）や朝鮮の西海岸に圧力をかけることができた。

このような一連のロシアの動きに対して、日本は絶えず抗議を申し込んでいたのだが、なにしろロシアから見れば、日本などは取るに足らぬ勢力と思われて、相手にもされなかった。

当時、ロシア海軍の艦船の総排水量は約五一万トン、そのうち約二〇万トンはすでに極東に回航されていた。一方、日本の連合艦隊の総排水量は約二六万トンである。

日本の全海軍に近いトン数に膨れ上がったロシア艦隊の極東勢力は、朝鮮海峡に面した馬山浦《まさんほ》や鎮海《ちんかい》の港を目標とし、ついで対馬《つしま》の竹敷《たけしき》港を狙っていた。

鎮海湾を押さえられたら、全朝鮮がロシア軍に制されることになり、全朝鮮半島を押さえられ

たら、日本が危ない。ロシアはすでに、この鎮海湾に近い馬山浦に手を出しているのだ（このことは一九五〇年＝昭和二十五、朝鮮戦争が始まったとき、アメリカのマッカーサー元帥も認めざるをえず、アメリカ軍は朝鮮半島で死闘をすることになる。197ページに詳述）。

ここに至って、日本はロシアとの外交交渉を続行するのを諦《あきら》め、ついに戦争の腹を決めざるをえなくなった。

それまでの日本の方針としては、満洲まではロシアに取られてもしかたがない。しかし、朝鮮半島まで下りてきてもらっては困るという、現在から見てもたいへん筋の通った、また控えめな要求だった。むろん、戦争など好んで起こそうという気もなかった。

ところが、その要求が完全に無視されて、コリア半島までがロシアの勢力範囲に入り、日本に最も近い港まで危険になったときに、戦端を開かざるをえなかった。

日本海海戦の完全勝利を導《みちび》いたものとは

これに対して、世界中がロシアを相手に日本が戦争しても問題になるまいと思った。

前述したとおり、当時のロシアは世界最大の陸軍と、イギリスに次ぐ海軍を持つ巨大な軍事国家であった。ナポレオンはロシアに裸同然に追い返され、ビスマルク＝モルトケが率《ひき》いるドイツ帝国ですら、ロシアとの戦争を回避しつづけたのである。

このようなロシア帝国と、封建時代からぽっと出たばかりの日本が全面戦争をしたのである。正気の沙汰ではない。

しかし、日本は陸に海に勝ちつづけたのである。

では、どうして日本は勝てたのか。

これに対する答えとしてよく言われてきたのは、日本側の指揮官が優秀であり、兵士が勇敢であったということであった。これらの指摘は、事実としては間違いではない。

だが、指揮官が優秀で兵士が勇敢でありさえすれば、勝てるというほど近代戦は甘くはない。それで勝てるぐらいなら、アメリカの西部開拓史において、そうやすやすとインディアンは負けなかったであろう。戦士としてのアメリカ・インディアンの勇猛果敢さを認めない人はいまい。しかし、インディアンは潰《つぶ》されたのである。

では、日本が勝利を収めた要因は何であったか。それを海戦・陸戦の両面から検証していきたいと思う。

まず海軍の戦力においては、日露双方を比較すれば、ほぼ同等と言うべきであろう。戦闘艦としては、ロシア艦隊は戦艦八、巡洋艦一〇、駆逐艦九隻である。これに対して、日本艦隊は戦艦四、巡洋艦八、駆逐艦二〇隻である。当初の海軍の総排水量トン数は前に述べたごとく、ロシアは日本のちょうど倍である。戦艦の数、そして大砲の門数もロシアが日本を上回っている。

ただ日本が有利であったのは、イギリスからの優れた新造艦を有していたという点であった。当時の日本では商船は造れても、まだ軍艦の造船までは技術的に無理であったため、当時の造船先端国であったイギリスなどから購入していたのである。それに近海のために、日本の駆逐艦や水雷艇のような小型の船も活躍できた。

しかし、この日本側のプラス面を勘定に入れても、かのバルチック艦隊相手では、せいぜいドローン・ゲームが関の山であり、双方ともかなり被害を受けるというのが、戦前の予想であった。勝っても六分四分ぐらいが、常識の線であろう。

ところが実際の日本海海戦において、日本の軍艦は一隻も沈まず、バルチック艦隊はほとんど全部が沈むか、捕獲されたのだった。撃沈された戦艦六、巡洋艦五、駆逐艦四、他四、捕獲した戦艦二、駆逐艦一、他四という数字は圧倒的である。

ロシアの艦船で逃げおおせたのは、軍艦では巡洋艦一隻と駆逐艦二隻だけというありさまであった。日本側の損害は、水雷艇が三隻沈んだのみであるが、しかもこれは沈められたのではなく、波をかぶっての転覆である。当時は「天気晴朗《せいろう》ナレドモ波高シ」であった。

まぎれもなく、これは日本側のパーフェクト・ゲームだった。このような完全勝利は海戦史上に類例がない。しかも、日本海海戦は当時までの人類最大の海戦であったのだから、その行方を見つめていた世界中の人間は、文字どおり仰天した。

バルチック艦隊、下瀬《しもせ》火薬に敗れる

この勝利を導いた真の立て役者には、イギリス製軍艦や指揮官や兵士のほかに、日本オリジナルの火薬、すなわち下瀬《しもせ》火薬があった。

下瀬火薬とは一八九一年（明治二十四）、海軍技師・下瀬雅允《まさちか》によって発明された新型火薬である。この火薬の特長は、炸裂した爆風で人間や構造物を吹き飛ばすだけではなかった。

従来の火薬を詰めた砲弾は、比較的少数の破片となり、弧を描いてばらまかれるのに反し、下瀬火薬は弾殻《だんかく》を三〇〇〇以上の破片にして、あらゆる方向に同じ速さで飛び、付近のものは一物たりとも生存しえないとされた。この弾丸に当たったロシアの軍艦の甲板《かんぱん》や舷側《げんそく》は、蜂の巣のごとくであったと判明している。

しかも、その気化したガスは高熱（三〇〇〇度）であり、鋼鉄に塗ったペンキはそのガスによって、あたかもアルコールのごとく引火して火事を起こすというもので、こういった火薬を弾薬に用いていたのは日本海軍だけであった。

当時、ヨーロッパではフランスのユージーン・チュルパンが一八八六年に発明したメリニット火薬が画期的とされていた。これはピクリン酸系の炸薬《さくやく》である。下瀬火薬はそれよりわずか数年遅れて開発され、同じくピクリン酸系と推定されたが、その詳細は第二次大戦中もまだ軍事機密で、永らく秘されていた。ヨーロッパと比べても、その寿命は長く、ハワイ・マレー沖海戦の魚

雷の火薬も下瀬火薬（の改良型）であったとされる。

澤鑑之丞《さわかんのじょう》造兵總監（中将）も、下瀬火薬が敵艦に当たると、敵は一人も甲板に上れなかったと言っている。この火薬は製造設備が出来ず、日清戦争には間に合わなかったが、日露戦争でその威力を発揮した（松原宏遠『下瀬火薬考』北隆館・昭和十八年）。『ブリタニカ百科事典』第十一版（一九一一年）、つまり日露戦争の六年後に出た版は下瀬火薬に言及し、「特に強力な爆薬（particularly potent explosive）」と言っている。また、「ニューヨーク・タイムズ」やロシアの「ノーヴォエ・ウレミア」も詳しく報じた。

これに対してロシアの海軍の火薬は、旧来の火薬であった。もちろん、それでも充分な殺傷能力はあり、また、喫水線《きっすいせん》のあたりや船の火薬庫に当たれば、沈めることもできる。

だから、日本海軍のほうも、じつに多くの死傷者が出た。東郷平八郎《とうごうへいはちろう》大将の座乗した旗艦三笠《みかさ》はじつに三七個の命中弾を受け、一〇〇人近い死傷者を出している。

のちに連合艦隊司令長官になる山本五十六《いそろく》は、このとき二十二歳の少尉候補生として日進に乗っていたが、艦橋に命中した敵弾によって右腿《もも》の肉を抉《えぐ》り取られ、左手の人差指と中指を二本失っている。

だが、死傷者こそ出たものの、日本の軍艦は一隻も沈まなかった。なぜなら、揺れる艦上から狙《ねら》って、火薬庫や喫水線のあたりに弾が命中するということは、いかに名人といえども難事であ

るからである。また、当日の天候は「天気晴朗《せいろう》ナレドモ波高シ」であったから、揺れも激しかった。

これに対してロシアは、日本の砲弾が当たるたびに猛烈な爆発と火災が起きた。砲の近くに弾が落ちても、通常の火薬なら死傷者を片づければ砲撃は続行できるが、下瀬火薬によって火災が起きては近寄ることすらできない。たちまち戦闘力が奪われた。少々狙いが外れても、敵に被害を与えられるのだから、日本側は圧倒的に有利であった。

さらに敵が戦闘力がなくなったのを見きわめて撃てるのだから、日本側は落ち着いて撃てる。こうなると日頃の訓練がますますものをいって、次々とバルチック艦隊を沈めることができた。これがパーフェクト・ゲームになった真相である。

さらに付け加えれば、伊集院五郎《いじゅういんごろう》の開発した伊集院信管によって、日本の砲弾が「魚雷式」になっていたことを、ロシア側の文献は敗因のひとつに挙げている。

また、木村駿吉《きむらしゅんきち》が開発した無線電信機器によって、「敵艦見ユ」の報がいち早く日本の連合艦隊に届いたことは、日本側に決定的な優位を与えた。マルコーニの電信実験が成功したのは一八九五年（明治二十八）末のことであって、海戦において実用に耐えうる電信機器を開発したのは、木村が初めてである（木村の名前も、『ブリタニカ』第十一版に出ている）。

明治維新以後、急速に発展した日本の〝科学の力〟が精強なバルチック艦隊を葬《ほうむ》ったと言って

も過言ではない。当時、こんなことができる有色人種は、どこにもいなかったのである。

圧倒的に不利と言われた日本陸軍

次に、陸軍はどうであったか。

海軍のほうはドローン・ゲームの予想をある程度されていたが、これに対して陸軍は、千に一つも勝ち目がないと世界中から思われていた。ところが、これも勝ってしまったのである。

陸上でも、精強なるロシアの砲兵は下瀬火薬（の改良型とされる）のため、つねに日本軍砲兵に優位を与えざるをえなかった（これはロシアの文献も認めている）。

だが、世界最強と目されるコサック騎兵の攻撃をも日本軍が退けてしまったことのほうがもっと大きい。コサックはすべて日本の騎兵に封じられ、索敵《さくてき》行動も補給線の破壊もできなかった。

たまたま、私は自著の英訳を出版する機会を与えられて（祥伝社刊『日本そして日本人』が *The Peasant Soul of Japan* として英国マクミラン社より刊行）、その打合わせのために英国の出版社の社長とロンドンでお会いすることがあった。

そのとき、「最近こういう本を出版した」と言って、いただいたのがウェストウッドというロシア史の専門家が書いた『日露戦争』という本であった。それほど厚くない本であったので、さっそく私は読むことにした。

すると、この著者は本の中で、あのコサック騎兵がなぜ、日本軍に勝てなかったのかという点をじつに不思議がっているのであった。

もちろん、この著者は奉天《ほうてん》の大会戦におけるロシア軍の最大の敗因を、日本の騎兵の活躍に帰している。

だが、客観的状況として、コサック騎兵は技術において日本騎兵に優れ、オーストラリアから買った日本騎兵の馬はコサックの馬より劣っていたのは事実である。

そこで、この著者は、日本の騎兵はたいてい下馬して戦っているし、騎兵の本質が機動歩兵部隊であることをロシア軍よりよく理解していたと指摘して、結論づけているのであるが、これだけでは、日本の勝利に対する充分な理解とは言えないのである。

今日のロシア史の専門家ですら、充分理解できないのだから、日露戦争当時の世界中の人々が日本の勝利に耳を疑ったのも無理のない話であった。

日本陸軍において、ロシアの騎兵を迎え撃つ役割を持たされたのは、同じ日本の騎兵を任されていた秋山好古《あきやまよしふる》将軍だった。秋山はそのためにフランスやロシアに行き、本場の騎兵を研究してきたのだが、その結論は、「日本騎兵には絶対勝ち目がない」というものであった。まさに、冷厳なる解答であった。

そもそも日本人は徳川の三〇〇年間、騎兵で戦争をしたという経験がなかった。このため、日

本の馬自体もまったく改良されていなかった。

それに対して、ヨーロッパの馬は戦争で騎兵に用いるために交配され、改良されつづけていたから彼我《ひが》の差はあまりに大きかった。ヨーロッパ人から見れば、日本の馬はロバも同然であったろう。明治維新前後に日本に来た外国人たちは、日本の小さい馬をひじょうに珍しがって、同じ馬とは思えない、これこそ進化論の重要な材料になると言っていたほどである。

そこで、日本は騎兵の導入と同時にあわてて馬を輸入し、育成を始めた。また、馬の改良・増産のために競馬《けいば》までも始めたのであった。今日では競馬はギャンブルとしての色が濃いが、本来は国策として行なわれていたものである。

このように明治になって始まった騎兵は、日清戦争でこそ勝ちを収めたが、これは相手が相手だから勝ったと言ってよい。勝っても不思議はなかった。だが、ロシアのコサックは、これとは桁《けた》違いな相手である。

秋山将軍が発見した〝ウルトラC〟

いろいろ検討した結果、秋山将軍はほとんど絶望しかかっていた。そのとき、彼はいわばウルトラCの作戦を思いついたのである。それは、当時ヨーロッパで発明された機関銃であった。

機関銃は普仏戦争（一八七〇～七一年）の前にフランスで発明され、「カノン・ア・バル」ある

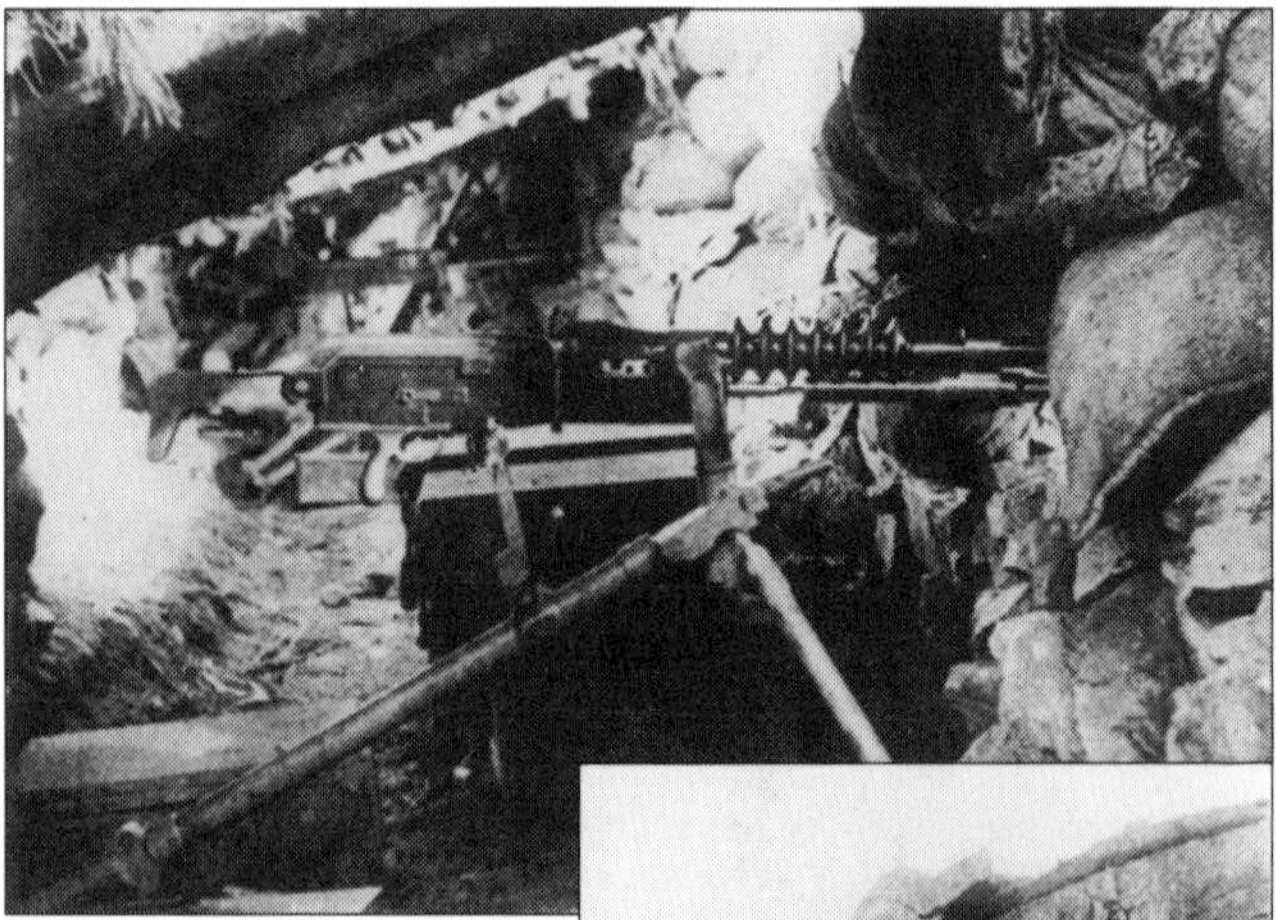

▶下瀬火薬の高熱によって、焼けただれたロシア艦船の砲塔

◀当時の最先端兵器・機関銃を活用して、秋山支隊はロシアのコサック騎兵を敗退せしめた（写真・日露戦争でロシア軍が使用した機関銃）

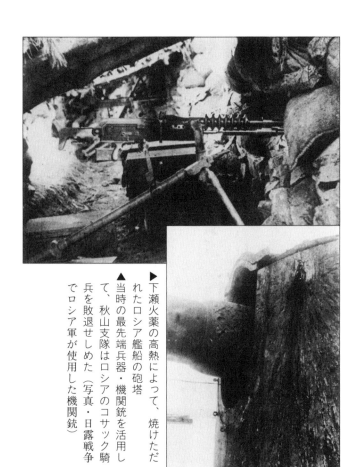

いは「ミトライエーズ」と呼ばれ、高い期待をかけられたが、実際の戦場ではモルトケ麾下《きか》のドイツ軍の集中砲火に圧伏され、たいした役に立たずに消えた。これは手動式であった。

ところがアメリカ人の発明家ハイアラム・マキシムが、一八八〇年代に自動式の機関銃と、それに適《あ》った火薬を発明した（彼はのちにイギリスに帰化し、「サー」の称号を与えられた）。これに続き、ホチキス社も機関銃を開発し、これはフランス陸海軍に制式採用されるほどの優秀なものであった。また、アメリカのコルト社も開発している。

秋山好古は長くフランスに留学していたので、ホチキス機関銃を見ていたに違いない。それで弱体な日本騎兵にこれを持たせ、コサックと戦うときは、馬から下りて歩兵のごとく戦うより仕方がないと悟ったのであった。

だが、機関銃は当時の感覚からすれば、最先端兵器であり、まだ珍しいものであった。日露戦争以前に機関銃の威力は充分試されておらず、「悪魔的兵器」と言われながらも、列強の陸軍はまだ、本当に信用していなかった。

日露戦争の前半において、日露両軍で機関銃を有効に使っていたのは旅順《りょじゅん》の要塞に立て籠《こも》っていたロシア軍と、秋山の騎兵だけであった。ちなみに、この旅順のロシア軍が持っていた機関銃によって、乃木軍が多数死んだのは有名な話である。

さて、予想されていたとおり、日本とロシアとの間で開戦となり、秋山の騎兵はコサックと戦

うこととなった。

騎兵の使命は、快足を利用しての索敵行動や、敵の戦線を突破し、補給路を分断して兵站《へいたん》基地を潰すことにある。コサックの騎兵は、かならずや広大な満洲の平原に薄く広がった日本軍の戦線を突破しようとしてくるであろう。

事実、コサック騎兵はそのとおりの作戦を敢行してきた。

そのとき秋山の採った作戦は、従来の騎兵の常識を覆《くつがえ》す、破天荒《はてんこう》なものであった。すなわち、コサックと馬に乗って戦っては、敗北は免《まぬが》れない。そこで、正面から当たることは止め、騎兵をみな馬から下《お》ろし、機関銃、騎兵銃や騎砲で、向かってくるコサックを薙《な》ぎ倒すというものであった。

騎兵はその役割からいって、隊長がまっさきに突進してくる。そのため、秋山の騎兵によって、隊長以下、コサックは次々と倒されていった。機関銃を中心とした秋山の騎兵集団（歩兵や砲兵を加えたので、秋山支隊と言われた）は、じつに無敗の軍隊であった。

今日のわれわれの目から見れば、そのような作戦は子どもでも気づく戦法に思えるであろう。しかし、当時の常識では〝騎兵には騎兵を〟であり、馬上の戦いが勝負を決すると考えられていた。だから、秋山のこの考えはまったくの盲点であった。

この「コロンブスの卵」的な発想がなく、馬から下りて最新兵器の機関銃を使うという作戦が

行なわれていなければ、コサックは伸びきった日本軍の戦線を思うがままに断ち切っていたはずであり、日本軍は総崩れとなっていたであろう。

もちろん、秋山は騎兵本来の機動力をも忘れず、少人数の挺身隊を作り、ロシアの後方を撹乱《かくらん》し、コサックを翻弄《ほんろう》し、大会戦の勝利に貢献している。

また、秋山支隊はコサック相手だけではなく、日本軍の左翼にあって一〇倍もの敵襲に対し、地面に下りて頑張り抜いたのである。日露戦争での日本陸軍は、綱渡りのような場合が多く、「あの部隊の、あのときの超人的頑張りなかりせば、日本軍は総敗北になったろう」というケースは数多いのであるが、秋山支隊ほどそういう場面が多かった部隊はないであろう（秋山好古の活躍については、司馬遼太郎氏の『坂の上の雲』文藝春秋刊が感銘的に記している）。

日露戦争を見ていた世界中の人々は、まだ秋山の作戦の詳細を知らなかったから、日本軍の勝利は、まるで奇跡を見ているかのような印象であったと思われる。

そして、戦争が終わり、真実が分かったとき、「陸軍の花の花」と称されていた騎兵は先進国の軍隊から消えることになった。機関銃で掃射されては騎兵に勝ち目がないのが、どの国の専門家の目にも明らかになったからである。

そこで、機関銃に負けない機動力を持ったものとして、一〇年後の第一次大戦で、欧州の戦場に戦車が登場してくることとなった。アメリカ軍などでも「騎兵部隊」という名称こそ現在でも

残っているが、その実態はヘリコプター部隊である。
最も遅れて騎兵を導入した日本が、騎兵の時代を終わらせたのだ。

「コロンブス以来の大事件」

繰り返すが、日露戦争は指揮官が立派で、兵隊が勇敢だったということだけで勝てたのではない。

海上では下瀬火薬が、陸上では秋山将軍の機関銃の導入が、いずれも当時の欧米の軍事水準を超えていたからこそ、最強の軍隊に勝てたのである。なにしろロシア軍は近世になってから、本当の敗北を知らないという常勝軍だった。ナポレオンにすら勝ち、また北アジア全域を支配して朝鮮にまで進出したのである。

そして、これは単にロシアに日本が勝ったというだけの戦争ではなかった。この戦争の結果は、じつに絶大なる影響を世界中に及ぼしたのである。

それは、有色人種の国家が最強の白人国家を倒した——事実、日露戦争の敗北から一二年後、ロシアの王朝は革命によって倒れた。これも日本に負けなかったら、事情は変わっていたであろう——という事実であり、世界史の大きな流れからすれば、コロンブス以来の歴史的大事件であった。

コロンブスの新大陸の発見が世界史上の大事件であったことを認めない人はいないであろう。コロンブス以前の世界史では、それぞれの地域で起きた事件が別の地域に影響を与えるということは、ほとんどなかった。

アレキサンダー大王が現われても、それはアメリカ大陸には関係がないし、また、漢の武帝の即位がアフリカに影響を及ぼすということはなかった。

ところが、二章でも述べたように、コロンブス以後、世界中はひとつになった。ヨーロッパで起きた事件でアジアが動くという時代が始まったのである。

そして、この歴史の分水嶺《ぶんすいれい》から四〇〇年間に、世界史で何が起きたかといえば、白人が有色人種の土地にやってきては、それを植民地にするという事実に尽きるのである。

これに比べれば、その他の事件、たとえばアメリカの独立戦争（一七七五～八三年）にしたところで、それは小さな出来事に過ぎない。

アメリカが独立しようと、イギリスという国の植民地になろうと、それはあくまで白人同士の内訌《ないこう》であって、世界史全体からすれば、どちらに転んでもいい話である。インディアンたちにとって、アメリカ大陸の支配者が誰であろうと、白人であるかぎりは状況は変わらない。白人の植民地支配のほうが、ずっと大きな問題だったのである。

フランス革命にしたところで、それは白人内部の問題であって、インド人にもシナ人にも、ほ

とんど影響を与えなかった。また、英仏間の戦争にしろ、当事者には大戦争であっても、世界史の流れから見れば、どうということはない。インドやカナダがイギリス領になるか、フランス領になるかの違いにすぎないのである。

日露戦争がなかったら、あるいは日露戦争に日本が負けていたならば、この白人優位の世界史の流れはずっと変わらず、二十一世紀を迎えようとしている今日でも、世界中は植民地と人種差別に満ちていたであろうということには、毫毛《ごうもう》の疑いもない。

ところが、日露戦争で日本が勝ったために、コロンブス以来四〇〇年ぶりに、世界の歴史の大きな流れが変わったのである。つまり、有色人種が白人の言いなりになりつづけるという時代に終止符が打たれた。それを日本が満天下に示したのであった。

そして、時間が経てば経つほど、誰の目にも日露戦争の世界史的意味は大きくなってくるのである。ふたたび繰り返すが、ここ五〇〇年間の世界史の事件で、コロンブスの新大陸発見に匹敵する大事件は、日露戦争における日本の勝利しかない。

シナ文化の精髄・科挙《かきょ》が滅びたわけ

そして、この日露戦争の勝利が、世界中の有色人種の人々が頭の中に持っていた、白人に対するイメージを根こそぎ変えてしまった。

前にも述べたが（97ページ）、イメージの力ほど民族の運命を根底から変えてしまうものはない。

いくら高邁《こうまい》な理想や理念を唱《とな》えたところで、人間の意識は簡単には変わるものではない。だが、目の前で一回実演して見せるだけで、人間の先入観というものは、簡単に吹き飛んでしまうものなのである。

この場合も、そういったことがあちこちで起きた。

それまでは、白人は優れた科学的知識と文明の利器を持っているから、抵抗しても無駄であると誰しもが思っていた。だから、最初のころは白人に抵抗した人種もあったが、みな圧服され、殺戮《さつりく》されて、二十世紀になると白人に反抗しよう、白人から独立しようなどと考えることさえしなくなっていたのである。

ところが、日本が強国ロシアを相手に勝ってしまったのを見て、ほかの有色人種の民族も、ひょっとしたら自分たちにもできるかもしれないと思うようになった。そして、実際にそういう動きが、あちこちで始まった。

たとえば、インドでもガンジー（一八六九〜一九四八年）やネルー（一八八九〜一九六四年。インド独立時の初代首相）によって民族運動が始まった。インドは古い文明を持っているが、イギリスのような機械や武器や軍艦を造れるとは思わず、そしてそれは白人のみができることだと思い

こみ、諦《あきら》めてイギリスの植民地になっていたのである。

また、シナなども、日露戦争の勝利が自国の領土内で行なわれたのを見て、すぐに反応を示した。

あの頑迷固陋《がんめいころう》な清朝政府までが、それまでの教育プログラムを日本式に改善し、さらに約一三〇〇年前の隋朝《ずいちょう》を起源とする科挙《かきょ》の制度を廃止するに至った。

科挙は言うまでもなく、高級官僚の登用試験であり、その合格のむずかしさたるや、現代日本の国家公務員試験の比ではない。そして、それに合格するためにシナの知識階級は、それこそ人生を賭けて勉強していた。「科挙こそシナ文明の大黒柱《だいこくばしら》」と言えるほど重要な制度であった。

だが、この科挙の試験科目は四書五経《ししょごきょう》といわれる儒教の経典が中心であり、数学や自然科学の知識を極度に軽視していた。そのため、日本のように近代化するうえでは、大きな支障があった。

清朝は科挙を廃止することにして、西洋の文化を奨励しようとしたが、シナ国内には近代的学校もなく、先生もおらず、自前で教育することはできなかった。

そこで、日露戦争のころに日本の制度を参考にして、学校制度を改めるとともに科挙を廃止し、それに部分的に代わるものとして、日本への留学を行なうようになった。すなわち、日本留学をして帰国したものに対して試験を行ない、日本での在学年数と留学先の学校の程度を考慮し

て、進士《しんし》とか、挙人《きょじん》（いずれも科挙の合格者に与えられる資格）にしたのである。

日本に送られた留学生の多くは、〝百年書香《ひゃくねんしょこう》の家〟（何代にもわたって知識人を出した家系）と呼ばれる上流階級の出身であって、しかもとびきりの秀才たちであった。このような選《よ》りすぐりの人たちが、日露戦争後に日本に留学したのである。日本留学は知識人の間でブームになり、東京には一時、数万人に及ぶシナ留学生がいたとされる。

孫文《そんぶん》（一八六六～一九二五年）や蔣介石《しょうかいせき》（一八八七～一九七五年）をはじめ、シナの近代化運動や改革運動に参加した初期の活動家で、日本に来なかった人はむしろ稀《まれ》であるというのは、このような事情から生じたものである。

この秀才たちは、日本に来てはじめて自分の目で、有色人種でも近代国家を作れるという事実を見、自国の近代化運動に没頭するようになったのである。

もし日本がロシアに勝たなかったら、もし彼らが当時の日本を自分の眼で見なかったら、おそらくそういう運動がいつ起こったか分からない。また、今もって清朝あるいは別の王朝のもとで、旧態依然とした社会が続いていた可能性も大いに考えられるのである。

第二次世界大戦後になっても、中国では『外来漢語辞典』というのが出版されている。外来漢語とは、明治の日本人が西洋の書物を訳したときに用いた専門用語のことを指す。たとえば、〝宣言〟という政治用語も、〝哲学〟や〝科学〟という学問用語も、また〝開化〟のようなありふ

れた言葉も、すべて日本人が考えだした単語で、中国人の言う「外来漢語」に当たる。

このような和製漢語だけで一冊の辞書が作られるという事実は、現代の中国における西洋の学問が、そのスタートにおいて、そのほとんどを日本から学んだという事実を示している。「共産主義」でも「資本主義」でも「帝国主義」でも、みな日本人が訳した訳語を通じて、彼らの頭に入っているのは紛《まぎ》れもない事実なのである。

中国人は、なぜ今も日本留学に憧《あこが》れるのか

日露戦争のショックによって科挙が廃止され、シナの近代化は日本への留学から始まったという事実は、どうも現代の中国人の癇《かん》に触るものらしく、戦後の中国、そして日本においても、あまり触れられない話のようである。

宮崎市定《みやざきいちさだ》博士の『科挙』（昭和二十一年・秋田屋刊）はみごとな名著であり、同書には科挙の消えた状況も詳しく触れられている。

だが、その後の同博士の科挙に関する著書（中央公論社刊『科挙――中国の試験地獄』昭和三十八年）においては、科挙廃止を巡《めぐ》る状況、特に日本の果たした役割が削られてしまった。当時の日本の出版界にかけられた圧力の一例である。幸い、同書の東洋文庫版（『科挙史』平凡社・昭和六十二年）は旧著の内容に戻されている。

ここでついでながら言っておけば、戦後の東京裁判以後のシナやコリアに関する書物は、大学者の書物といえどもこういうことがあるので、注意されたい。

さすがに学者は嘘は書いていないし、嘘と知って嘘を書くことは日本の学者には、まずないと言ってもよい。しかし、重要なことが書かれていない、あるいは出版社が削るということはありえるため、注意が必要なのである（前出115ページ・岩波文庫版『ラストエンペラー』の項を参照されたい）。

以上は日本での話だが、現代の中国の人たちも日本留学のことについては、あまり語ることはない。だが、やはりその記憶はけっしてなくなったわけではないのだということを、個人的に経験したことがある。

それはある新聞社が主催した、留学生に与える論文コンクールの審査員をしていたときのことで、私はその応募論文の中でしばしば「自分の先祖も日本に留学したから、私も留学を希望した」という内容の文章に出会ったのである。

中でも、ひじょうに心を打たれた論文の一つは、東京の国立大学の大学院に留学している女性の文章であった。

彼女の家は代々、学問の家だったのだが、そのために文化大革命（一九六六〜六九年）のときに、インテリの反革命分子として手ひどくやられ、彼女の父も母も犠牲者になったのであった。

その最期のときに、母が彼女に「あなたは、どんなことがあっても日本に行って勉強するのですよ」と言った。これが母親の最期の言葉であったと彼女は書いていた。

ちなみに、文化大革命は、言葉は聞こえがいいが、その実態は、指導力を失った毛沢東《もうたくとう》が自分の復権のために始めた単なる権力闘争で、その大義名分に〝文化〟と〝革命〟という言葉が使われたにすぎない。そこで行なわれたのは、猛烈な反近代化キャンペーンで、いっさいの学問を敵視したから、こういう虐殺やリンチが日常的に行なわれたのである。

さて、彼女のような話が生まれる根底には、科挙の廃止後に、シナの秀才たちが日本に留学した時の記憶が、自分の先祖が留学していてもいなくても、彼らの頭の底のどこかに残っているためではないかと考えられるのである。

それはちょうど、今日の日本人にとって、昔と違ってイギリスから学ぶものは、英語以外はそれほどないにもかかわらず、イギリス留学が何か立派なことのように思われるのと、一脈通じるものがあるように思われる。

かくして、日露戦争によって、コロンブス以来の歴史の流れは別のほうへ変わりはじめた。

それがそのまま流れつづけたならば、日本も、おそらく世界も、それなりに幸せであったであろう。ヨーロッパ諸国はロシアに勝った日本を見て、日本を征服したり、日本と戦ったりしよう

という発想は消え、この東洋の島国と共存する方向に向いていったことは明らかである。

ヨーロッパを代表するイギリスは、〝光栄ある孤立〟という従来の外交方針を捨て、すでに一九〇二年に日英同盟を結んでいたが、日露戦争後、それはさらに強化された。日本もまたその同盟の恩恵を大いに受けていた。「すべて世はこともなし」と進むかに見えた。

ところが、白人優位主義に本質的な危機を感じ、日本をそのまま放置してはおけないと決心し、そして、日本を潰《つぶ》すことによって歴史の流れを昔に戻そうと腹をくくった国があった。

それがアメリカであった。

第四章

日本を開戦に追い詰めた〃四つの力〃

——〃人種間戦争〃だった太平洋戦争の真相を語る

(1)アメリカ——対日憎悪の圧力

「ファウスト的精神」が作った国・アメリカ

十九世紀のイギリスの代表的詩人の一人であるロバート・ブラウニングは、こう書いた。

「時は春、
日は朝《あした》、
朝《あした》は七時、
片岡《かたをか》に露みちて、
揚雲雀《あげひばり》なのりいで、
蝸牛《かたつむり》枝《えだ》に這《は》い、
神、そらに知ろしめす。
すべて世は事も無し」

(上田敏訳)

この詩は日露戦争以前のヨーロッパ人、あるいはアメリカの白人の気分を最もよく示したものではないかと思われる。この詩のごとく、彼らにとって、すべて世はこともなかった。ところが、ことが起こったのである。

もし日露戦争がなかったり、日露戦争で日本が勝たなかったりしたならば、白人にとって世はすべて平穏な日々であった。争いは、自分たち白人の間だけであったろう。ところが、あろうことか日本が勝ってしまった。

だがそれでも、繰り返すが、ロシアに勝利した国、それも極東の島国・日本とあえて争おうと考えるヨーロッパの国は、もうなかった。日本もまた、それで平穏なはずであった。

ところが太平洋の向こう側にいるアメリカだけは、それを容認できる立場になかった。

かのシュペングラーの論理を適用すれば、アメリカこそが西欧のファウスト的精神、すなわち、無限空間に対する憧《あこが》れと、その征服欲を最も明瞭な形で発揮した国家であった。

アメリカに移り住んだヨーロッパ人にとって幸いだったのは、アメリカの先住民は、きわめて人口密度が低く、しかも多部族に分かれており、団結心の薄いインディアンたちであったことである。

したがって、無限の空間を征服するという精神は、何ら遮《さえぎ》られることなく、フロンティア・スピリットのおもむくまま西へ西へと驀進《ばくしん》していったのである。

シナ移民の奴隷化は、なぜ起きなかったか

ところが、この驀進の途中で、ちょっと予想外なことが起こった。

それは十九世紀の中ごろ、ゴールド・ラッシュが起こり、アメリカ大陸横断鉄道が建設されることになるが、そのときにチャイニーズ・クーリーズ（苦力＝下層低賃金労働者）と言われる奴隷的労働者（当時は契約移民という用語が用いられた）が、シナ大陸から西海岸に多数入るという事態が起こったのである。

もちろん、それ以前からアメリカに入っていた黒人労働者を使うという選択肢もあった。しかし、鉄道施設建設のような労働に彼らはあまり適さなかったようであった。またアメリカ・インディアンは、その騎馬民族的気質のために、そのような奴隷的肉体労働を拒否したので、これもまた、大量に使うことができなかった。

そこで、大量かつ安価、しかも勤勉なシナ移民が使われることになったのである。当時のシナは阿片《あへん》戦争や、長髪賊《ちょうはつぞく》（太平天国《たいへいてんごく》）の乱で混乱の極にあり、シナ大陸ではいくらでも人手を集められた。鉄道建設労働者の九割までがチャイニーズ・クーリーズであったという記録もある。

ところがここで、アメリカ人が予想もしなかったことが起きた。彼ら鉄道建設の白人たちは、シナ人移民を黒人のように、一生奴隷のごとく見下しておける存在だと思っていたらしい。しかし、黒人奴隷とチャイニーズ・クーリーズは、背負っていた文化が違っていた。もっと正確にい

えば、文化の成熟度が天と地ほども違っていたのである。

チャイニーズ・クーリーたちは、西部へ流れていった白人以上の知能と勤勉の習慣を総体として身につけており、さらにカネを貯《た》めることと殖《ふ》やすことの喜びをちゃんと知っていた。彼らは低賃金で働きながらも貯金をし、それによって土地を買ったり、店を開いたりし、ついには金鉱の採掘権まで買う成功者が出たりしていたのである。それは白人をも凌《しの》ぐ勢いであった。

太平洋の門戸を閉ざしたアメリカ

このようなシナ人たちの出現は、西へ西へと向かうことを使命と考えていたアメリカ人のメンタリティ、さらにはアメリカの国体（constitution　国家の体質）に反することだった。

十九世紀後半になっても、ヨーロッパ大陸からアメリカに大量の白人が渡って来ていた。その多くは、ヨーロッパの中でも、最も貧困と迫害に悩んだ人たちであった。たとえば、東ヨーロッパでロシアのために住むところを奪われた人々、あるいはイギリスに収奪しつくされたアイルランド人などが、それである。

とくにアイルランドの場合は十九世紀の中ごろ、人口九〇〇万の島で二五〇万人も人口減になったと言われる大飢饉が起こった。この二五〇万人のうち、約半数は餓死し、約半数は移民したのである。ほうほうの体《てい》で難民同然、アメリカへ渡って来た者の数は、一〇〇万を超えたと推定

される。

もちろんこういった移民たちは、ようやく大西洋を渡っても東海岸に住むことはできない。すでにそこには数百年も前から白人が住んでいたからである。それで、まさに憧れの未開の地、西部へと大平原を横切って進んでいったのである。

ところが西海岸の近くへ行ってみると、すでに、そこにはシナ人たちが相当の生活を営んでいたのである。

その時の貧乏な白人たちの失望、落胆、怒りは、いかばかりであったか。今の言葉で言えば、フラストレーションである。

そして、シナ人殺しやシナ人居住地区への襲撃が始まった。彼らの中には「十字軍」と称して、シナ人排斥運動を始めたものもある。そのリーダーの多くは、アイルランド移民であった。この運動を動かしていたのは、シナ人の一つの村を皆殺しにすれば、その村全体の土地は自分のものになるという簡単な原理であり、かつてのインディアン虐殺とまったく同じ論理であった。

一例を挙げれば、ワイオーミング州のあるシナ人の村では、白人によって一六人が殴《なぐ》り殺され、さらに五、六十人以上が焼け跡から見つかったが、そのほか発掘できない死体が無数にあったとも言われている。

かくして、生き残ったシナ人もほとんど経済的基盤を喪失し、白人のカンにさわらない形での

み生存するあわれな存在に落ちてしまったのである。そして、このようなシナ人排斥《はいせき》の運動は、ワシントンの連邦政府をも動かし、一九〇二年（明治三十五）にシナ人移民を完全に禁止する法律を生みだすところまで行ったのである（詳しくは拙著『日本史から見た日本人・昭和編』祥伝社刊を参照されたい）。

大西洋に向かってはニューヨークに自由の女神を建て（一八八六年＝明治十九）、「悩める者よ来たれ」という一方、太平洋の門戸は完全に閉ざすというアメリカの方針、すなわち東から入ってくる白人は歓迎するが、西からの有色人種は許さないという態度が、この法律で明確になったのである。

日本人への恐怖感

こうしたシナ人移民に代わって、太平洋を越えてやって来たのが、日本人の移民たちであった。しかも、その多くは日清戦争の後、つまり、アメリカ人たちが開拓すべきフロンティアの消滅を認識した一八九〇年ごろから移住したのであるから、日本人に対する白人の敵意は、さらに強烈なものがあった。

日本移民は、シナ人に劣らず勤勉で、総体として教育レベルも高かった。しかも、日露戦争に勝ったのであるから、白人に負けるわけがないといった信念が強かった。西海岸の良好な農地の

多くが日本人移民の開拓、あるいは所有するところになったのは当然の成行きであった。

これに対する白人たちの怒りや嫉妬は、まことにすさまじいものがあった。アイルランド人の「十字軍」の復活である。

しかし、シナ人移民のように日本人を殺すわけにはいかなかった。

なぜならば、シナ人の場合は、清朝政府は元来、鎖国時代の徳川幕府のように国民の海外渡航を制限しており、許可なくして国を出たものは清国民にあらずという政策であり、また、海外の移民には関心を示さなかった。だから、こういった〝棄民〟であるシナ人をいくら殺しても、清国政府から文句が来るという心配はなかった。

しかし、日本人の場合はそうはいかない。日本人をシナ人のように虐殺すれば、日本政府から強い抗議が来て、国際問題に発展するのは明らかであった。

しかも、日本は太平洋に日露戦争で大勝した連合艦隊という強大な艦隊を持っている。これに対して、当時のアメリカはまだ太平洋に艦隊を持っておらず、ことに西海岸のアメリカ人は心の底に日本の連合艦隊に対する恐怖心を持っていた。

したがって、彼らは法律を変えることで日本人に対抗しようとした。つまり各州ごとで次から次へと排日移民法を成立させて、日本人移民を締め出すという手段を採ったのである。現代のアメリカを見ても分かるとおり、この国は、このような感情的とも言える法律を平気で作ってしま

▲▶日本人移民の活躍・成功は、アメリカ人たちの嫉妬と排日運動を招くこととなった

う「民主的風土」を持っている。

もちろん日本政府は、これに対して事態を解決すべく外交努力を重ねつづけた。二十世紀の最初の四半世紀、日本の対米交渉のほとんどは、この日本人排斥問題に費《つい》やされたと言っても過言ではなかろう。

ところが、その交渉は好転のきざしなく、一歩後退、二歩後退、三歩後退と、後退しつづけるばかりであった。

ついには、一九〇八年（明治四十一）に「日米紳士協約」が成立し、日本移民をアメリカ合衆国には出さないというところまで、日本政府は後退したのである。しかも、その約束を日本政府は忠実に守った。なぜなら、すでに移住している日本人がさらなる差別を受けるのを、心の底から恐れたからである。そして、日本からの移民は実質的に止まった。

日本が出した人種差別撤廃の歴史的提案

しかし、そんな日本の態度もアメリカ人の心を長く和《やわ》らげる役には立たなかった。すでに日本移民は美田《びでん》を持ち、成功を収めていたからである。いくら日本人移民が禁止されようとも、アメリカ人が日本人を憎み、日本人の土地を欲《ほっ》するという構造は変わらなかった。日本移民のエチケット、とくに立ち小便の習慣が嫌われたなどと言うが、それは付随的理由であろう。

当時の白人がいかに土地を欲しがったかは、スタインベックの小説『怒りのぶどう』を読まれるか、その映画をご覧になれば実感できる。

この小説は、アメリカ中南部で食い詰めた主人公たちが、耕《たがや》す土地を求めて西部に向かうという内容である。日本人の土地を奪うシーンこそないが、どんな苦難を受けようとも土地を求めてやまない彼らが、「約束の地」はすでに有色人種のものになっていることを知ったとき、それを取り上げたいという強い衝動に駆《か》られたであろうことは、容易に推察できる。

このような情勢が続いている時に第一次大戦（一九一四〜一八年）が起こった。第一次大戦中は、日本人もアメリカ人も関心がヨーロッパに向かっていたため、アメリカにおける人種問題は休止状態になった。

この世界大戦が、日米を含む連合軍側の勝利に終わった翌年（一九一九年）、国際連盟の結成が決まったのだが、この規約作成の場で日本の牧野伸顕《まきののぶあき》全権代表が、注目すべき提案を行なった。それは「連盟に参加している国家は、人間の皮膚の色によって差別を行なわない」という内容の条文を国際連盟の規約に盛りこもうというものであった。

つまり、国家による人種差別は廃止すべきだと訴えたものであり、これは、何十年も時代の先取りをした優れた提案で、有識者の多くが日本に賛意を示した。しかも、日本の提案は、各国の事情を斟酌《しんしゃく》して、人種差別の即時撤廃などを要求したのではない。

しかし、当時は人種差別によって経済が成り立っている先進国が多く、日本の主張は採択されるところとならなかった。

つまり、世界で最初にできた国際的な国家連合機関は、「人種差別は今後も続ける」という判決を下したと同然であり、また日本に対しては、「日露戦争の勝利者であっても、先進国の仲間に入ることは許されない」と宣言したも同然であった。

反日感情が反米感情を産みだす

だが、これは日本にとって、それほどの実害はなかった。

ところが、その三年後の一九二二年（大正十一）にアメリカの最高裁判所は、「白人と、アフリカ土着人およびアフリカ人の子孫」だけがアメリカに帰化できるという判定をし、すでに帰化申請をして許可され、アメリカ市民として過ごしている日本人すら帰化権を剝奪された。この中には、第一次大戦でアメリカ兵として従軍し、アメリカ市民権を得た人たちもいたのである。

そして、翌一九二三年（大正十二）には、移民に関する憲法修正案が上院に提出された。

その修正案の内容とは、すなわち、日本移民の子どもにも絶対、アメリカ国籍を与えないということであった。

それまでの憲法上の規定は、アメリカで生まれた者には無条件でアメリカ国籍を与えるという

ことになっていた。いわゆる国籍の属地主義であるが、今回の修正条項は、それを覆《くつがえ》し、しかも過去に遡《さかのぼ》ってまで適用するという空前絶後の暴論であった。

すでにカリフォルニアなどの州法によって、日本移民（一世）がアメリカの土地を取得する途《みち》は塞《ふさ》がれていたので、移民たちはアメリカ市民である自分の子どもたちの名義で土地を買っていた。今回の憲法修正案は、その抜け道すらも閉ざしてしまおうというものであるから、アメリカ人の排日感情がいかに激しかったかが分かる。

これはたとえば、現代の日本で、在日コリア人や、立派に日本国籍を持っているその子孫たちに対して、土地の所有を禁じ、そればかりか現在持っている土地もただちに売って手放すようにという憲法修正案が議会に上程されたに等しい。

それと同じことが、一九二三年のアメリカで起こったのである。

日本がアメリカに何をしたというのだろう。

このような反日的雰囲気の下に、一九二四年（大正十三）五月、「帰化（国籍取得）に不適格なる外人（alien ineligible to citizenship）」に関する移民法にクーリッジ大統領は署名した。これが、帰化不能外国人移民法とか、絶対的排日移民法とか言われるものである。

これによって、紳士協定は一方的に破棄され、日本移民は実質上禁止されたことになる（さすがに、排日的憲法修正案は通らなかったようである）。日系人の地位は、一八八二年（明治十五）

以来のシナ人と似たものになってしまった。

日露戦争に勝っても、黄色人種の日本人は、アイルランド人に比べても下等人種と看做《みな》されたのである。日本はアイルランドを支配しているイギリスと対等の同盟国なのに、アメリカでは劣等民族扱いだった。

それまで、日本人の大部分は親米的であった。しかし、これ以後、日本における対米感情は反米に変わってしまうのだが、それは当然の成行きであり、アメリカ大使館の前で切腹するという人も出た。

この法律が生まれたことは、日本のみならずアメリカにとっても、きわめて不幸なことであった。というのは、日本政府自体はアメリカと協調外交を継続しようという意志を持ちつづけていたにもかかわらず、この法律以後は、それを世論が許さなくなったからである。

なぜ、アメリカの言うことを聞いて妥協ばかりするのかと議会で言い出されれば、いかなる政治家、いかなる外交官でも、これは答弁に窮する。

移民問題が険悪化した一九一九年（大正八）以来、一九二二年（大正十一）末まで、日本の駐米大使は、幣原喜重郎《しではらきじゅうろう》（一八七二〜一九五一年。敗戦後、首相になる）であった。彼は問題の一九二四年（大正十三）に加藤高明《かとうたかあき》内閣の外相に就任し、以後、第一次若槻礼次郎《わかつきれいじろう》内閣の一九二七年（昭和二）まで外相を務めて、模範的な対米・対国際協調外交を推進していたが、それもアメリ

力の人種的偏見の前には効き目がなかったのである。

日英同盟を潰《つぶ》すアメリカの画策《かくさく》

またアメリカはといえば、明らかに日本を仮想敵国として動き始め、日本と将来、太平洋で戦うことを明確に頭に描いた政策を進めはじめていた（当時の日本も、海軍はアメリカを一応は仮想敵国としていたが、日本側にアメリカ攻撃の意図も準備もまったくなかったことは証明できる）。そして、これが後の日米間の戦争に直結してゆくのである。

その第一の現われが一九二一年（大正十）に開かれたワシントン会議であった。

ワシントン会議は、アメリカ、日本、イギリスなど九カ国が集まった第一次世界大戦後初の国際軍縮会議である。そこでの主な議題といえば、まず海軍の軍縮に関する問題だった。

これは世界大戦によって膨《ふく》らんだ海軍の規模を制限しようというものであり、日本としても軍事予算の増大は困ることであったので、日本の海軍首脳も政府首脳も基本的に賛成していた。

しかし、それよりも重要なことは、それと同時にアメリカの圧力によって、日露戦争の前、一九〇二年（明治三十五）に締結された日英同盟が廃止されたことであった。

日英同盟の廃止が、当事者の希望に反するものであったのは言うまでもない。

日本にとっては、アングロ・サクソン支配体制の世界では、何かにつけて好都合の同盟であっ

た。とくに、第一次大戦後の五大国（英・米・仏・伊および日）の中で、日本だけが有色人種国家であるので、もし日英同盟が廃止されるならば、諸外国はいっそう露骨な排日感情を噴出させるおそれがあった（事実、日英同盟廃止後三年目に、アメリカで前述の絶対的排日移民法が成立した）。

また、日英同盟は、日露戦争の勝因の一つでもあったから（ロシアの南下を牽制《けんせい》する目的でイギリスが日本に協力的であったので、日本は有利な立場に立てた）、日英同盟を日本は官民挙げて支持していた。

また、イギリスも日英同盟によって充分に恩恵を受けていた。この同盟があるために、イギリスは極東に強大な武力を置くことなしに、極東貿易の利益を満喫できた。

ところがこの同盟はアメリカにとって不都合だった。

日露戦争までは日本に好意的であったアメリカも、日露戦争以後は日本を仮想敵国として太平洋に着々と海軍を増強しつつあった。万一、日米両国が太平洋で争うことになれば、当然、日英同盟によってイギリスは日本の味方をせざるをえない。ということは、アメリカは大西洋のイギリス海軍にも目を配らねばならず、太平洋に海軍を集中することができなくなる。これは、アメリカとして、絶対的に不利である。

そもそも日英同盟に対して、アメリカは当初から不安を抱いていたらしいのだが、世界大戦

後、日英同盟の元来の目的たるロシアとドイツの脅威が消滅したため、日英同盟の存続は、あたかもアメリカを目標とするかのごとき誤解が生まれた。アメリカの中で、この同盟に対する敵視、あるいは嫉視《しっし》が大いに昂進してきたのである。

とくに、一九二一年（大正十）七月に同盟の本条約更新について、日英の話合いが始まると、アメリカの世論はこの同盟への攻撃を増大させたのである。

アメリカの日本仮想敵国視は本物であった。

アメリカとしては、何が何でも日英同盟を潰《つぶ》さなければならなかった。そして、日本の切なる願い、必死の抵抗にもかかわらず、日本とイギリスの同盟は廃止され、その代償として、何の役にも立たない日米英仏四カ国条約が締結されるにいたるのである。

「連帯責任は無責任」

イギリスは第一次大戦において、アメリカから多大なる恩恵を被《こうむ》っている。資金や物資を援助してもらっただけではなく、実際にドイツ軍との西部戦線にも参加してもらった。イギリスはアメリカに負《お》い目があった。

この点を衝《つ》かれると、日本は歩《ぶ》が悪かった。

日本はイギリスの切なる要請によって、第一次大戦に参加し、海軍は太平洋および地中海まで

出兵して協力し、陸軍はシナ大陸の青島《チンタオ》を中心とするドイツの植民地を占領している。しかし、ヨーロッパの戦場にまでは陸軍を送ることをしなかった。

もちろん当時の情勢を考えれば、南シナ海を南下してマラッカ海峡、インド洋、紅海、スエズ運河、地中海というコースを通って、軍隊を送ることは非現実的な要請であった。これについては、当時のイギリス首脳も了解していたのだが、戦後、「アメリカは大軍を送って陸軍でも協力したのに、日本は協力しなかったではないか」と言われれば、当然、日本の立場は不利にならざるをえない。

特に注目すべきは、イギリス帝国議会において、カナダ（当時、英帝国の自治領）の代表が、対米関係を考慮して、日英同盟の廃止をきわめて熱心に主張したことである。カナダは当時、日本移民の排除に熱心な国であったから、アメリカの排日政策に熱烈に共感していた。つまり、アメリカとカナダは「ひとつ穴の狢《むじな》」であったのだ（今では想像しにくいことだが、カナダの反日感情は日本の敗戦の時まで続いており、マッケンジー・キング首相は一九四五年＝昭和二十年八月六日の日記に「原爆がヨーロッパの白人たちにではなく、日本人に使われることになってよかった」と記しているくらいである）。

そこでイギリスも、アメリカの圧力に同調するムードになったのだが、これはやむをえないことでもあった。

また第一次大戦中、軍事大国・ロシアが革命によって崩壊し、アジアにおけるロシアの圧力が急激に低下したうえ、ドイツ帝国がなくなったため、イギリスが日本の協力を以前ほど必要としなくなった、ということもある。

かくして日英同盟は廃止され、それをごまかすために日英米仏の間で四カ国条約が結ばれた。しかし、日本にとってはフランスは地理的・歴史的に遠すぎて、実際には同盟を組む意味がなく、また条文の内容も実効性のないものであった。

そもそも、軍事同盟というのは二カ国間のものでないかぎり、あまり意味がない。同盟国が増えると、それだけそれぞれの条約国の責任が薄められ、まさかの時に役には立たなくなる。いわば「連帯責任は無責任」(Everybody's business is nobody's business.) で、多国間同盟というものは実質上、なきに等《ひと》しい。これは歴史の教訓でもあるし、実際、この四カ国条約は何の役にも立たなかった。

シナへのアメリカの接近

アメリカ人の日本敵視政策は、日英同盟という緩衝物《かんしょうぶつ》がなくなったことで、ますます露骨なものになっていった。

まず日本を牽制するために、徹底的にシナを使おうとアメリカは決心した。

当時のシナにはたくさんのプロテスタント系の牧師がおり、また、パール・バック（一八九二～一九七三年。女流小説家。『大地』など中国を舞台とした小説を執筆）をはじめとして、アメリカには親シナ派の文化人が多かった。このため、アメリカの反日勢力はシナの反日運動を陰に日向《ひなた》に援助し、また、アメリカの大衆新聞は日本のシナにおける活動をセンセーショナルに報道した。

したがって、シナの反日運動は必ずアメリカの反日運動と結びつくという図式が生まれた。これは、日本にとっては、対シナ問題イコール対米問題、対米問題イコール対シナ問題ということで、ただでさえ厄介《やっかい》な問題が、ますます複雑になるという危険な状況を意味した。

これが、日露戦争以後、日本がまず直面した最大の暗雲の一つであった。

(2)大不況を産んだアメリカの保護貿易主義

ホーリー・スムート法

人種問題に次いで、日本が、無益な戦争へと走らざるをえなくなった第二の原因は、アメリカにおける保護貿易主義の勃興《ぼっこう》であった。

一九二九年（昭和四）に下院議員ホーリーと上院議員スムートが、いわゆるホーリー・スムート法案を連邦議会に提出した。

ホーリーもスムートも、ともに実業家であり、それぞれコンツェルンと称してもいいほど多くの企業を私有していた。彼らは、自分の関連する企業の利益を大幅に上げるため、関税を高くすることを考えついた。つまり、競争相手となる外国製品をアメリカ市場から閉め出してしまおうというわけである。

この法案は翌一九三〇年（昭和五）に成立し、ただちに一〇〇〇品目について「万里《ばんり》の長城《ちょうじょう》」と称されるほどの関税障壁が生まれた。これはすなわち、アメリカが自由貿易を捨て、ブロック

経済に入ったという証明に外《ほか》ならない。

アメリカのような巨大な市場がドアを閉ざし、ブロック経済に入れば、もちろん世界の貿易は重大なる打撃を被《こうむ》る。事実、それから一年も経《た》たないうちに、何と世界貿易はほとんど二分の一になり、「世界大不況」になった。

一九二九年から三〇年にかけての世界の大恐慌のスタートについては、高校の教科書にも出てくるし、よく知られているが、その引き金はもっぱら一九二九年の株式相場の崩壊だとされている。しかし、単にアメリカの証券市場の暴落だけで、世界中を巻き込む長い大不況が起こるわけはない。むしろホーリー・スムート法によって、アメリカがブロック経済に入ったことのほうが真因で、この視点を抜きにして、あの大不況を論ずることはできないのである。

実際、一九二九年に提出されたホーリーらの保護貿易法案が、神経過敏になっていた株式相場崩壊のきっかけを作ったと言うべきであろう（詳細については拙著『日本史から見た日本人・昭和編』参照）。

ちなみに、私はホーリー・スムート法によって大不況が始まった一九三〇年（昭和五）の生まれだが、母はよく、「あのころの不景気を思い出すと、いまでも夜中に目が覚《さ》めて冷汗《ひやあせ》が出る」と言っていた。それほどの不況がアメリカのブロック経済化によって始まり、これが世界中を席《せっ》巻《けん》したのである。

ブロック経済化がヒトラーの台頭を招いた

事態はさらに悪化した。アメリカがブロック経済に入ったことに応ずるかのように、二年後の一九三二年（昭和七）には、イギリスがカナダの首都オタワで帝国関税会議を開き、イギリスおよびその植民地もブロック経済を行なうことを決定した。

このブロック経済圏には、当然のことながら、当時、世界の四分の一を占めていたイギリスの植民地が入る。そして、これらカナダ、オーストラリア、ニュージーランド、マレーシア、ビルマ、インド、アフリカの植民地からイギリス本国に送られる原材料は、すべて無関税あるいは特《とっ》恵《けい》関税の扱いを受け、それ以外の国からの原材料には高率の関税を課す。逆に、イギリス本国で作った工業製品は、植民地に特恵関税で輸出されるというわけである。

アメリカに続いてイギリス帝国までがブロック経済に入ってしまっては、それ以外の産業国家はたまらない。

このブロック経済になった世界で、生き残るのが可能な国といえば、ヨーロッパではフランスとオランダぐらいのものであった。フランスはアフリカにも中近東にも植民地がある。東南アジアにもラオス、カンボジア、ベトナムなどを持っている。オランダも全インドネシアなどを所有しており、その経済基盤は何とか確保されていた。そのほか、自給自足《アウタルキー》が可能であった少数の国は、我慢できた。

しかし、それこそ絶体絶命の窮地《きゅうち》に立たされたのは、第一次大戦の敗北によってすべての植民地を失ったドイツである。

ドイツは第一次大戦後、非人道的と言ってもおかしくない額の賠償金（一三二〇億マルク）を払いつづけながらも、着実な復興を遂げていた。だが、ブロック経済によって貿易を封じられては、ひとたまりもない。たちまち天文学的な数の失業者を出す状況に至った。そして、解決の道はなかった。

ここで現われたのがヒトラーである。彼はイギリスがブロック経済に入った二年後の一九三四年（昭和九）に政権を取ったわけだが、最初に宣言したのは、賠償金の放棄であった。また、彼は、ドイツ民族には生活圏《レーベンスラウム》が必要であると主張し、それを東に求めるという意図を露《あら》わにしたが、これは第一にルーマニアの油田のことを指していたことは明らかであった。

ヒトラーの政策が、ブロック経済に対抗するものであったのは明確である。そして、自給自足《アウタルキー》の可能な国家を建設するための戦争に備えて、彼は着実に手を打ち始めていた。

(3)日本陸軍の〝暴走〟を招いた脅威とは

日本に迫るソ連の脅威

一方、日本はどうであったか。

アメリカから排斥運動や外交圧力を受けているちょうど同じころ、日本はロシア革命の脅威を北から受けることになった。

日露戦争で日本はロシア軍に勝ったものの、極東からロシアを完全に駆逐したとは言えなかったから、その軍事的脅威は依然として重くのしかかっていた。

そのロシアがソ連になった。だが、それも日本をめぐる地理的状況を変えたわけではない。ロシア軍がソヴィエト軍になっただけのことである。しかも一九二二年（大正十一）、モスクワおよびペテルブルグで開かれた第四回コミンテルン総会（167ページ注）では、世界中から君主制を廃止するという決議がなされ、各国の共産党にその指令が出された。もちろんこれは秘密裡に行なわれたものであったが、日本の政府首脳にも、各方面からその情報が流れてきた。

君主制の廃止——これは、日本においては天皇をなくすということである。そこで、この決議に対して、日本は激烈な反応を示した。

ロシア革命によって、ロマノフ王朝のニコライ二世夫妻はじめ、その家族が皆殺しにされたばかりか、皇帝の馬まで殺されたという情報が伝わってもきた。また、革命の余波で、一九二〇年(大正九)、ニコライエフスク(ハバロフスクの港湾都市)では、当地に住んでいた日本人数百人が、パルチザン(革命ゲリラ)によって全員虐殺されるという事件まで起きたため、革命ソ連に対する恐怖はさらに大きくなっていった。

アメリカやシナでの反日運動、ブロック経済による不況、そしてソ連に対する軍事的、イデオロギー的恐怖——この三要素が相まって、日本も真の危機感を抱くようになった。

またもや、アメリカの妨害

この危機感が日本陸軍に一九三一年(昭和六)、満洲事変を起こさせた。満洲の諸都市を制圧するという軍事行動が、本国政府を無視して行なわれたのである。

満洲事変の前年(一九三〇年)、ロンドンで海軍軍縮会議が開かれた。日本の抵抗にもかかわらず、軍縮の対象には主力艦に加えて、補助艦や潜水艦までが含まれることになった。これは、明らかにアメリカの日本攻撃を有利にするための決定であると考えられた。

当時想定されていたアメリカの対日攻撃計画は、主力艦を中心に、航空母艦、巡洋艦、駆逐艦がその周りを取り巻き、直径何十キロもの大円陣を作って日本に迫るというものだった。実際にアメリカ海軍はその演習を行なっていた。また、日本海軍も、その大艦隊を小笠原沖で迎えて戦うという想定を持っていた。

しかし戦艦の数からいっても、日本が必ず勝てるかどうか分からないほどの大艦隊である。そこで、日本海軍のプランとしては、主戦場となる小笠原に近づくまでに、一隻でもアメリカの戦艦を減らそうというものであった。それは、第一次大戦で日本がドイツから委任統治領として受け取ったマーシャル群島やトラック群島の珊瑚礁《さんごしょう》に、潜水艦を潜《ひそ》ませて攻撃するという苦肉のアイデアであった。ほかに選択肢は考えられなかった。

この計画で重要な役割を果たす潜水艦の数を、条約で制限するということは、明らかに日本の作戦への妨害であると、日本側では考えた。

しかし、当時の国際世論や、英米両国との力関係などから、日本の首脳はこの条約を締結せざ

●第四回コミンテルン総会——ロシア革命を世界に拡大するため、ソ連共産党を中心に結成された共産主義政党の国際組織がコミンテルン（共産主義インターナショナル）であった。第四回総会では、日本共産党が承認され、その綱領草案も作られたと言われる。

るをえないと判断した。ところが、この代表団の帰国を待ちかまえていたのは、軍部の厳しい反発であった。条約締結の責任者とされた浜口雄幸《はまぐちおさち》首相（一八七〇～一九三一年）は東京駅構内で右翼の青年にピストルで狙撃され、重傷を負った。

しかも、これだけでは終わらなかった。海軍の軍備は、明治憲法に規定された「統帥権《とうすいけん》」にかかわることであり、天皇の専権事項である。政府が勝手に軍縮条約に調印することは、天皇の統帥権を干犯《かんぱん》するものだと、軍部が政府攻撃を激しく行なうこととなった。

これが、いわゆる統帥権干犯問題であり、この議論以降、軍部、とくに陸軍は政府を無視して暴走を続けることとなるのである（統帥権問題については、176ページに後述）。

この陸軍の危機意識の根底には、アメリカの西進政策がますます露骨になってきたことがあった。

具体的にはハワイ（一八九八年）、グアム（同年）、フィリピン（一九〇二年）と、米国領は西に西にと拡大し、日本までは、あとわずかであった。また、ブロック化が世界中で進んでゆけば、このままでは日本が必要とする鉄などの戦略物資が入ってこなくなるわけで、軍はそれを極度に恐れた。

そして、このような危機的状況の解決策として考え出されたのが、満洲国の建国であった（一九三二年）。

“ラストエンペラー”が満洲国皇帝になった真相

陸軍の暴走という面を抜きにして考えれば、満洲国の建国自体については――私はその建設の首謀者であった石原莞爾《いしはらかんじ》（一八八九～一九四九年。陸軍軍人）と同郷のせいもあって、子どもの時からそれを聞かされることが多かったが――、今も昔も、満洲国の建国自体は悪いことだったと考えたことはない。

満洲国皇帝となった溥儀《ふぎ》（一九〇六～六七年）は、言うまでもなく、辛亥《しんがい》革命（一九一一～一二年）によって退位させられた最後の清朝皇帝である（先にも書いたが、その生涯は映画『ラストエンペラー』に描かれて、話題になった）。

退位後、北京《ペキン》や天津《テンシン》を流浪したとき、彼が考えたのは自分の民族である満洲族の皇帝として、祖先が暮らしていた満洲の地に帰りたいということであった。蔣介石《しょうかいせき》（一八八七～一九七五年）の軍隊によって、自分の先祖の墓が荒され、しかもそれに対する陳謝がなかったことで、その思いはますます深くなった。

このように彼が思うに至ったのは不思議なことではないし、彼の血筋を考えれば、満洲国の皇帝になるというのは、いかなる意味でも当たり前の話である。

ここで再確認しておきたいのは、満洲は歴史的に見て、シナ固有の領土ではないという事実である。たしかに満洲は清朝の一部であった。しかし、これは清朝を建てた女真族《じょしん》（満洲族）が満

洲の出身であったからにすぎない。本来、シナ人（漢民族）と満洲人はまったく別の民族なのであり、別の言語系統に属している。

だから、溥儀の考えは、別の言葉に言い換えるとすれば、少数民族が独立し、民族自決を行なおうということであった。これは、何度も言うようだが、当たり前の話であった。民族自決主義は、第一次大戦後のヨーロッパの大原則であったではないか。

「満洲国の悲劇」は、なぜ生まれたか

ただ、問題であったのは、この満洲国の独立という溥儀の希望を日本の軍部がまったく独走して、強引に実現させてしまったという点にある。

もし、軍部が独走せず、日本の政府が主体となって、国際政治の舞台で上手に根回しして、諸外国の承認のもとに満洲国の独立を援助していたら、話はまったく変わっていたであろう。

少なくとも、満洲民族にとっては、幸福であったろう。現在のように中国の支配の中で、少数民族としてまったく消滅しかかっている運命は、たどらずにすんだかもしれないからである。現在の満洲族は、チベット族よりも危うい運命にある。このことを知っている人は多いが、なぜか口に出したがらない事実である。

他国の独立問題に口出しするのは好ましくないという理想論もあろう。だが、現代でも、少数

▶昭和七年三月、満洲国執政の就任式のため、国都・新京駅《しんきょう》に着いた溥儀《ふぎ》夫妻。彼の願いは満洲族国家の建設であった

▶新京（現・長春《ちょうしゅん》）の合同法衙《ほうが》（法務省）。満洲に現代的都市が生まれた

民族の独立を大国が援助するということは、頻繁に行なわれているし、それが倫理的に非難されたという話も皆無に等しい。

また、日本が満洲国の行政権や外交権を掌握したため、「傀儡《かいらい》政権」と非難するむきもあるが、これも国際慣例からすれば、そう珍しいことではない。

現在でも、ヨーロッパのモナコ公国は外交権をフランスに委《ゆだ》ねているが、だからといってモナコ公国をフランスの傀儡政権と呼ぶ人はいまい。カナダなどイギリス連邦に属する国に至っては、イギリスの国王（女王）を元首としている。

それどころか、アメリカは、麻薬密輸の容疑でパナマのノリエガ将軍を逮捕して、自国で裁こうとしている。日本の軍事政権ですら行なわなかったことを平気でアメリカができるのも、パナマの政権がアメリカの傀儡であるからである。パナマの傀儡度は、満洲国のそれより甚だしいとも言えよう。

だから、あくまでも国際的なルールに則《のっと》り、正々堂々と国際連盟の場で日本が満洲国の独立を説けるようなぐあいになっていれば、問題はなかったのであろう。

ところが、それは次に述べるような事情から、不可能であったのだ。

(4) 〝首相なき帝国〟日本の不幸

ビスマルクが伊藤博文《いとうひろぶみ》に与えた助言

人種問題、日英同盟の解消、ブロック経済という外的圧力に加えて、日本にも疵《きず》、あるいは欠点となるものがあった。それは憲法の問題である。

明治十年代に起こった自由民権運動（憲法制定、議会開設を訴える政治運動）に応《こた》えるものとして、政府は憲法の制定を約束した。その責任者には伊藤博文《いとうひろぶみ》が任ぜられた。

が、具体的に研究してみると、そもそも君主がいないアメリカの合衆国憲法や、君主を追い出したフランスの憲法は何の参考にもならないのが分かった。伊藤はみずからヨーロッパにも出かけて研究をすることになったが、参考になりそうに思えたイギリスには、成文法（文章として書かれた法典）としての憲法がないことが分かった。

そこで、伊藤はまっすぐドイツに向かった。ビスマルク（一八一五〜九八年。鉄血宰相と称された）を首相とする新興ドイツの帝国憲法が、最も参考になりそうだということは、すでに知って

いたのである。

ドイツからの伊藤博文の手紙は元気に溢《あふ》れている。そこは君主を戴《いただ》きながら、朝日の昇るような勢いを示す国であったからだ。

伊藤はさっそく、ビスマルク首相に日本の憲法に関してアドバイスを求め、ベルリン大学のローマ法の教授であるルドルフ・フォン・グナイスト（一八一六〜九五年）を推薦されたと思われる。

グナイストは元来は官僚出身であり、実務経験者であるが、ベルリン大学のローマ法の教授として大陸法に精通し、加えてイギリス法に詳しかった。彼の『イギリス法制史』全二巻は、イギリスでも訳され、最も信頼するに値《あたい》する類のない法制通史として尊重されていた。まさに掛け値なしに、当時世界一の憲法学の大家であった。

明治憲法の成立については、オーストリアの学者スタインの、伊藤に対する講義録（伊藤の秘書であった伊東巳代治《みよじ》の筆記）などが有名であるが、明治憲法の本当の骨組みになったのは、グナイストの講義であることは、明治憲法と並べれば一目瞭然である。

明治憲法条文に〝首相〟の文字がない理由

グナイストは伊藤博文から、日本の憲法制定の相談を受けると、こう言った。

「あなたの国のご事情を聞くと、旧プロシア憲法（一八五〇年制定。一八七一年のドイツ帝国成立で廃止）が一番よいのではないか。地方自治その他についてはフランスなどの憲法に参考とすべきものがあるが、全体としてみればプロシア憲法を参考にすべきであろう」と。

そして、グナイストは旧プロシア憲法を伊藤博文に逐一《ちくいち》講義し、自分の意見を述べている。

ここでグナイストは「行政権は国王や皇帝の根本的な権利であり、行政権を内閣に譲るような責任内閣制度はよくない」という意見を述べた。明治憲法には責任内閣の制度がなく、首相の規定もなければ内閣の規定もない。これも、グナイストの指導に基づくものだとみてよい。

こう書くと、明治憲法公布の四年前（一八八五年）には、内閣制度があったではないか（初代首相は伊藤博文）と指摘するむきもあろう。たしかに、それはそのとおりである。だが、憲法公布以前から内閣制度があったという事実経過を見ればおのずと明白なように、内閣および首相の存在は、明治憲法の条文に立脚したものではない。

明治憲法において規定された行政機関らしきものは、条文を子細《しさい》に検討しても、国務大臣（第五十五条）と枢密院《すうみついん》顧問官（第五十六条）だけしかない。枢密院顧問官は天皇の諮問《しもん》機関であり、行政に直接タッチするわけではないから、憲法上は国務大臣が個々に行政を行なうということになっている。

首相の権限が明示されていないのだから、首相とその他の国務大臣は法制上まったくの同権と

いうことになる。実際、首相は大臣の首を切ることもできないし、大臣が一人でも辞職すれば、その内閣は潰《つぶ》れてしまうわけである。事実、明治憲法下では、そういったことがしばしば起こった。

制度上しっかりした規定が行政府たる内閣にないのだから、内閣が軍隊を指揮するという規定がないのも当然である。もちろん、議会が軍隊を監督するという条文もない。

プロシア憲法では、国王について定めた第三章の第四十六条で、国王は軍隊を統帥するという規定があった。やはり、日本の明治憲法でも第一章・天皇の項目で（第十一条）、「天皇ハ陸海軍ヲ統帥ス」とある。やはり、軍隊は国王、あるいは天皇の指揮下にあって、行政府や立法府には関係がなかったのである。

元老《げんろう》制度の功罪

明治憲法は、今日のわれわれの目から見れば、きわめて重大な欠陥を含む憲法であった。しかし、明治憲法が制定された当時は、その欠陥が露呈することなく、それはそれで、うまくいっていたのである。

これもまた憲法では定められていない制度だが、当時、厳として存在したのは元老《げんろう》制度であった。元老制度とは明治維新に直接参加し、功績のあった人たちの話合いの場であった。その主要

メンバーは、伊藤博文、山県有朋《やまがたありとも》、井上馨《いのうえかおる》、黒田清隆《くろだきよたか》、松方正義《まつかたまさよし》、西郷従道《さいごうつぐみち》、大山巌《おおやまいわお》、西園寺《さいおんじ》公望《きんもち》らであった。

この元老たちが明治維新政府を明治天皇の下で興《おこ》したのであるから、当時の人々は、元老の意見は天皇の意見であり、天皇の見解は元老の見解であると、誰しもが考えていた。

そして、この元老たちが国務大臣の首班《しゅはん》、すなわち首相を指名した。当然のことながら、首相は元老たちの眼鏡にかなった人間であるから、元老と首相の意見が極端に食い違うことはなかった。

こういった事情から、天皇、元老、首相は一体のものであるという図式が、全国民の頭の中で成り立っていた。この一体感があるかぎりは、首相や内閣の指導力は磐石《ばんじゃく》であった。

日清戦争、北清事変《ほくしんじへん》（一九〇〇年、義和団《ぎわだん》の乱を鎮圧するために八カ国連合軍が出動）、日露戦争、第一次世界大戦に当たっても、内閣が軍を指導し、終戦処理をしても、憲法上の問題は何一つ起きなかった。

ところが、アメリカからの人種差別や西進政策の圧力、またブロック経済の圧力、さらに共産主義という北からの思想的圧力が襲いかかりだした昭和初年のころには、この元老たちはすでに死に絶えていたのである。

たった一人残ったのは西園寺公望だけで、こうなると、一人の元老の意見が天皇と同じだと

は、誰も思わなくなっていた。さらに憲法上、何の規定も持たぬ内閣のことを軍部が尊重しようと思わなくなったのも、当然のことであった。

軍部が軍事権の独立を主張して統帥権干犯問題を持ち出したり、あるいは内閣の存在を無視して満洲事変を始めたりするということが起きたのは、まさにここに原因があった（168ページ参照）。

戦後に書かれた小泉信三《こいずみしんぞう》先生（経済学者、教育者。今上天皇の教育係を務《つと》めたことで知られる）の著書の中にも、「山県有朋でも生きていたら、危機的な状況は回避できたかもしれないのに」といった趣旨のことが書かれている。これは山県有朋個人というよりも、天皇と内閣を繋《つな》ぐ制度として、元老会議が続いていたら明治憲法はちゃんと機能したであろう、と言い直したほうが、より正確であろう。

プロシア型憲法の欠陥が第一次大戦を招いた

プロシア、そしてその直系の子孫であるドイツ型憲法がきわめて危険なものであることは、ドイツにおいて、当時すでに証明されていた。

ドイツで元老に相当する役割を果たしたのは、ビスマルクであった。ビスマルク健在なりしころは、彼が内閣の首班であり、彼の意見はたいていドイツ皇帝の意見と同じものとして通用し

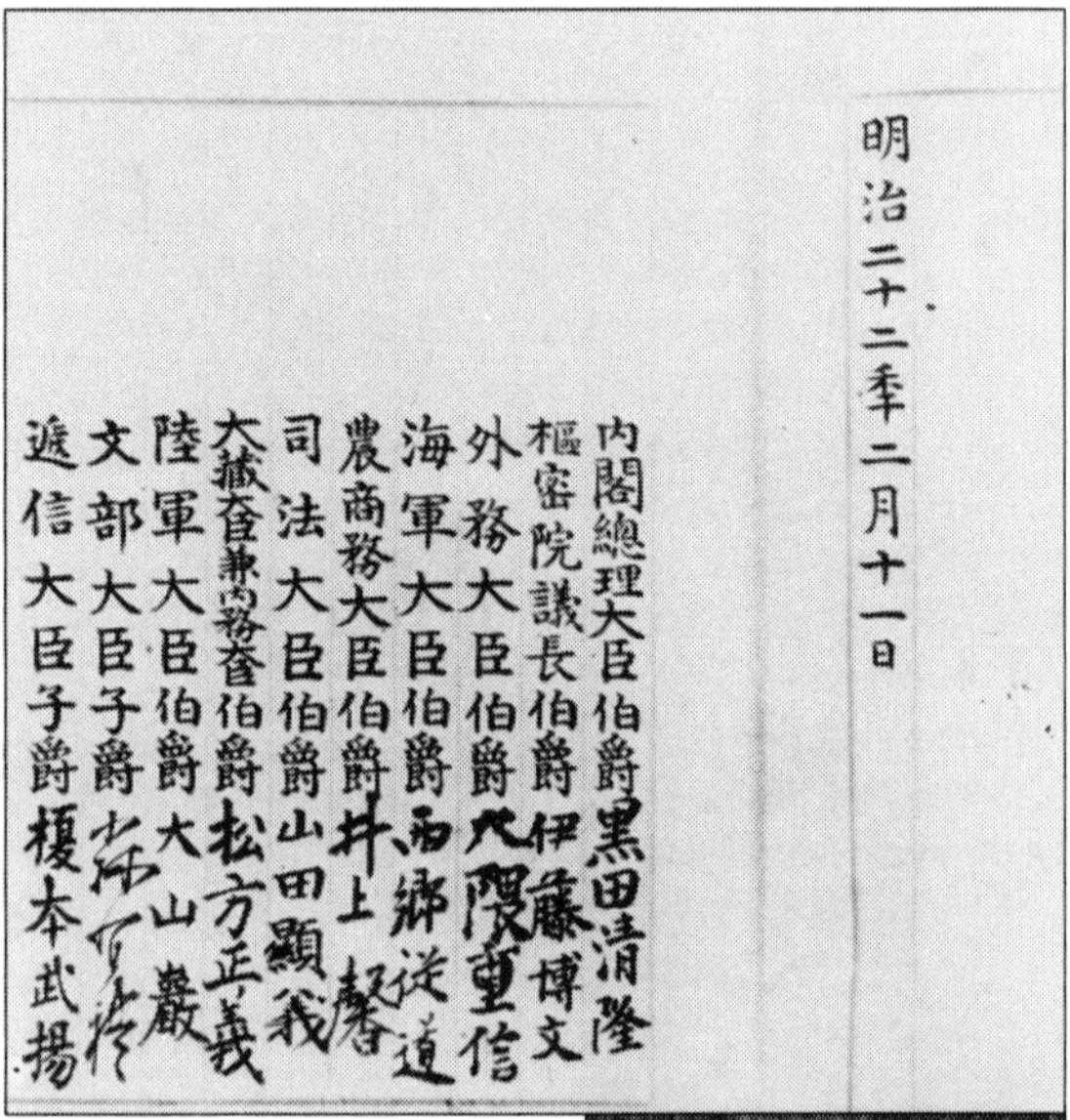

明治二十二年二月十一日

内閣總理大臣伯爵黒田清隆
樞密院議長伯爵伊藤博文
外務大臣伯爵大隈重信
海軍大臣伯爵西郷従道
農商務大臣伯爵井上馨
司法大臣伯爵山田顯義
大藏大臣兼内務大臣伯爵松方正義
陸軍大臣伯爵大山巖
文部大臣子爵森有禮
遞信大臣子爵榎本武揚

▲明治憲法の原本。ここに署名した伊藤博文《いとうひろぶみ》（右写真）などが、元老として健在であった時代には、憲法の欠陥は問題にならなかった。だが、彼らがいなくなった昭和前期、日本は軍人によって動かされる国家へと変化したのである

た。だから、ビスマルク治下のドイツは旭日昇天《きょくじつしょうてん》の勢いを示した。

だが、一八八八年に即位したウィルヘルム二世が、ビスマルクを遠ざけるようになったころから、その憲法体制の弱点が噴出しはじめ、それは第一次世界大戦を惹《ひ》き起こすまでに至った。

第一次大戦は、いまもって原因の分からない戦争とされている。第一次大戦直前のドイツの立場ひとつを採《と》ってみても、ロシアとの間に紛争はなく、イギリスとの紛争、フランスとの紛争も解決済みであった。

一九一四年六月二十八日、サラエボでオーストリア皇太子が社会主義がかった不良少年によって暗殺されるという事件が起こった。これが通例、第一次大戦の直接の引き金とされているが、この暗殺は完全にオーストリア・ハンガリー帝国の中の揉《も》め事でしかない。せいぜい、セルビアとオーストリアの問題でしかなかった。そこには世界大戦に至るほどの理由は見出せない。

ところが、この問題で揉めているときに、愚帝とも言うべきドイツ皇帝ウィルヘルム二世は、オーストリア・ハンガリー帝国の内政に干渉するかのような発言をした。これに対して近隣諸国は、ドイツの強大さを知っているだけに、恐怖を感じ、過敏な反応を示した。ヨーロッパにはだんだん不穏な雰囲気が立ちこめていき、サラエボの暗殺とは関係なく、どんどん険悪な状況が生み出されていったのである。

一カ月後の七月二十九日にはロシアが総動員令を決し、英国は中立の要請を拒絶し、同月三十

一日にオーストリアが総動員令を、さらに翌八月一日にはフランスが動員令を下した。ドイツの名誉のために言っておけば、ドイツは最後まで総動員令を下さなかった。フランスより五分遅かったのである。

いったん動員令を下してしまえば、あとは一人歩きを始める。どの国も戦争をしなければならない気分になって、第一次世界大戦は何となく始まってしまったのである。繰り返すが、決定的な原因は大国間にはなかったのである。

もし、ビスマルクが健在で、ウィルヘルム二世と一体となって行動していたら、どうであったか。皇帝みずからが他国の内政に干渉するかのような発言をすることもなかったであろうし、また、かりにそうなったとしても穏便に問題を解決する途《みち》もあったであろう。

いや、ビスマルクほどの名宰相がいなくともよかったはずである。明確に規定された責任内閣の首相であれば、どんな平凡な政治家であっても、このような問題は起きなかったのである。

憲法改正が不可能な国の不幸とは

第一次世界大戦は満洲事変の一七年も前の話である。日本においても、なぜ世界大戦が起こったのかという研究が精密になされるべきであった。しかも、その根本原因が、ドイツ憲法の欠陥にあることに憲法学者たちは気づくべきであった。だが、その気配すらなかった。

しかし、これを責めるのは酷であろう。

明治憲法の成立史は長らく極秘とされ、明治憲法が旧プロシア憲法を手本にしていたことも隠されていた。伊藤博文の秘書官であった伊東巳代治《いとうみよじ》が一九三四年（昭和九）に亡くなり、その書斎から憲法制定のプロセスを克明に記した文書が出て、そこではじめて分かったのである（一九三九年＝昭和十四公刊）。

だから、満洲事変の段階では、まだ無理だったとも言える。

だが、このような証拠がなくとも、それでも憲法学者たちは、比較憲法の手法でドイツ憲法と明治憲法が本質的に似ていることには、気づいてしかるべきであった。

とはいえ、戦前の憲法は、戦後の新憲法と同様、「不磨《ふま》の大典《たいてん》」であって、憲法を批判したり、改正を言いだしたりすることは、不可能と言ってよかった。それでも憲法学者たちは、その欠陥に気づいていたのであれば、公の形ではなくとも枢密院議員とか、政府の首脳だけには、その危険を指摘しておくべきではなかったかと思われてならない。

世界中が認めた〝日韓併合〟

さて、問題を整理すると、一九三〇年（昭和五）前後、人種問題、ソ連革命問題、ブロック経済問題、軍縮問題など、すべての災《わざわ》いが日本に押しかかってきた時、明治憲法が、その内側に持

っていた欠陥がピシリとひび割れの音を立てて出てきたわけだが、その決定的な事件、それが統帥権問題であった。

満洲事変までは、日本は外交的には模範的な国であった。それまで日本が対外的に起こした行動は、すべて国際的に認められるものであった。

ところが、満洲事変以後、日本の外交政策に対する世界の信頼感は、地に墜《お》ちた。これも、統帥権を振りかざし、軍部が独走して、政府の与《あずか》り知らぬところで問題を起こしつづけたためであった。「日本は二重政府《ダブルガバメント》の国か」と世界中が非難したのである。

一九一〇年（明治四十三）の日韓併合は、現在でこそ後講釈でいろいろ取りざたされるが、これはまだ元老が健在で、明治憲法が正常に機能している時代の話であり、当時の世界のルールに則《のっと》った、いわば適法の行為であった。

そもそも日韓併合が、日露戦争の当然の結果として生じたことは、世界中が認めていた。日露戦争が、朝鮮半島に南下してきたロシアの勢力を排除するための戦いであり、しかも、当時の韓国政府が反日的立場を採り、ロシア軍が朝鮮半島に入っていたこともまた、公知の事実であった。

もし、韓国政府が日本が勝った場合の保険として、形だけでも日本を手伝うふりをすれば、話は違っていただろう。二つの国に挟まれた小国が、「二股膏薬《ふたまたこうやく》」的外交をするのは、けっして珍

しいことではないし、卑怯《ひきょう》なことでもない。

だが、韓国は日本を助けるための一個師団は言うに及ばず、一連隊も、否《いな》、小規模な義勇軍の申し出もしなかった。これでは、日露戦争後の朝鮮半島の処分が日本に一任されたとしても、これは当時の国際常識から見て、どこの国も文句を言うはずがなかった。

とはいえ、日韓併合の当時、日本の最高指導者であった伊藤博文は朝鮮を植民地化することに反対であった。この事実は、今の五〇〇〇円札の顔である新渡戸稲造《にとべいなぞう》（一八六二～一九三三年）の著書によっても確認することができる。

新渡戸は教育者として有名だが、植民地政策のエキスパートでもあった。彼が伊藤のところに、韓国の植民地化に関する詳細な計画を持っていったとき、伊藤は韓国を日本の植民地にする意志がないことを、彼にはっきりと告げたという。

伊藤の考えとしては、しばらく韓国の外交権と軍事権は預かったうえで、独立国として朝鮮を存続させる意志であった。これに関しては、一点の疑いもない。そして、日本と仲よくやっていける近代化志向の政権確立を待つ予定であった。

独立国でありながら、他国に外交権を委任するというケースはヨーロッパによく見られる（172ページのモナコの例を参照されたい）。

そもそも、当時の日本外交は、欧米先進国の仲間に入れてもらおうという意識が強かったた

め、何をやるにしても、先例をまず尊重した。これは、昭和になって軍部が独走するまで、変わらなかった。

伊藤博文の暗殺

ところが情報不足か、性急のゆえか、安重根《あんじゅうこん》という韓国人が伊藤博文を暗殺してしまった（一九〇九年）。伊藤博文は死の直前、「何と馬鹿な」と叫んだと伝えられている。こともあろうに、韓国を植民地化することに最も反対していた人物を殺してしまったのである。

これは例えてみれば、マッカーサー元帥を占領下の日本人が暗殺してしまったような話である。マッカーサーはワシントンの意向に反して、日本の天皇の存続を主張していた。それを、日本の右翼が誤解して暗殺したらどうなっていただろう。天皇廃止を主張していたワシントンの意向がただちに復活し、日本は完全にアメリカの属国扱いにされていたに違いない。

それと同じようなことが、一九〇九年の韓国で起こったのである。

日本の対韓方針は一転した。韓国側の人たちも暗殺者を出したために、日本からどういう報復を受けるかと、上から下まで震えあがった（これも、占領下の日本でマッカーサーの暗殺があった場合の日本人を想像すれば、分かるであろう）。

この状況の変化を受け、日韓両方からの意見具申があって日韓併合が進んだのである。しかし

この場合でも、日本は世界の先例を検討した。おそらく、当時の日本政府の頭の中には、一七〇七年のスコットランド議会とイングランド議会の併合があったと推定してもよいだろう。

また、日本は関係諸国（清国、ロシア）のみならず、ドイツ、フランス、イタリアの意見を聞いているが、ここでも反対は一国もなかった。

中でも、日本が最も重視したのはアメリカとイギリスの意見だが、両国もまったく賛成であった。東亜の安定を確保するものであるということで、英米の主要新聞も挙げて日本の日韓併合を歓迎している。

一カ国の反対もなく日韓併合は行なわれたのであった。

反日マスコミが作りあげた「対華二十一カ条要求」のウソ

また第一次大戦中に（一九一五年）、日本がシナの袁世凱《えんせいがい》の国民政府に出した対華二十一カ条要求についても、日韓併合と同様、現在ではずいぶん非難されている。だが、これにしても経緯を詳細に調べていくと全然違うことが分かる。

第一次大戦において、日本はドイツに宣戦布告して、彼らの青島《チンタオ》要塞を占領した。ところがこれに対して、国民政府は青島要塞を明け渡して、日本軍は撤退せよと求めたのである。

青島要塞の戦いは、日本とドイツの戦いであり、国民政府とドイツが戦ったわけではないのだ

から当然、日本はドイツの権利を継承することになる。日本は、その権利の放棄をするのだから、その利益の代償を国民政府に求めた。その案が対華二十一カ条要求であり、それは当時としては、ごく自然の行為であった。

しかも、二十一カ条のうちの十四カ条は、国民政府が日本とすでに結んでいた条約をしばしば破るので、その遵守《じゅんしゅ》を確認するためのものであり、残りの七カ条のみが日本からの要求であった。

しかし、このようなときに一度に七カ条を要求するのは印象がよくないということで、日本の国会の中でも反対が起こった。結局、それらの項目は自発的に取り下げ、元老やイギリスの意見も容れて、最終的には国民政府に十六カ条の要求を出したのである。これに対して、国民政府もすべて承認してこれを受け容れ、条約を締結することとなった。

これで一件落着のはずであった。

このような経緯であったのに、たいへん悪い評判が残ってしまったのは、まだ第一次大戦が継続中だったということがある。ほかの同盟国が戦っているのに、日本だけが早々と戦後処理を始めてしまったのは、国内でも評判が悪かった。

とくにアメリカは反日援支（支＝シナ）の姿勢を明らかにし、イギリス、フランス、ロシアに対し、共同して対日干渉することを提案している。だが、これらの三国は断わった。歴史的背景

を考えれば、この三国は日本の十六カ条要求がそれなりの根拠を持っていることを知っていたと考えてよいであろう。

しかし、やはり十六カ条も並べるのは、いくらその中に日露戦争のころの条約の確認にすぎない項目があるにせよ、外交的ではないと言えよう。

だが、それより大きな問題は、当時すでに反日的感情を露《あら》わにしていたアメリカの新聞を中心に、海外のマスコミがセンセーショナルに騒ぎ立てたことであった。たとえそれが誤報でも、一度傷つけられた信用は、なかなか消えるものではなかった。

かくして、「世界の孤児」に

とかく戦前の日本の行動は、どんなことでも罪悪のように語られるが、満洲事変の前と後では、その内容も性質もまったく違うのである。満洲事変までの日本は外交的には、当時の国際常識では後ろ指を指《さ》されるようなことが、ほとんどない優等生だったのである。

強《し》いて言えば、満洲事変の三年前（一九二八年）に起こった張作霖《ちょうさくりん》爆死事件という不祥事がある。しかし、これは最終的には天皇の意向で当時の田中義一《たなかぎいち》内閣が辞職するところまで行って、一応の決着が着いた形になった。また、国際問題にもならなかったのである。

それが、満洲事変になった途端に批判を浴びるようになったのは、先にも述べたように軍部が

暴走し、政府を無視しはじめたからであった。

右翼に狙撃された浜口首相に代わって首相代理を務《つと》めた幣原《しではら》喜重郎《きじゅうろう》外務大臣は、戦後書かれた回想録の中で、当時は憲法問題があって、どうしようもなかったという趣旨のことを書いている。「憲法問題」が統帥権干犯問題のことであるのは言うまでもない。幣原首相は東大法学部の出身であるから、満洲事変を起こした軍人たちが、ひとつも憲法に背《そむ》いていないことを知っていた。だから強く出られなかったのである。

もちろん軍の首脳部も、憲法から見て、政府も議会も自分たちを抑《おさ》えられるわけがないことをよく知っていた（この憲法解釈は、軍の最上層部だけで密《ひそ》やかに伝えられた情報のようであった）。

だから満洲事変とは、やっている軍人たちも、抑えようとした日本政府も、ともに問題の中心が憲法にあるということを知っていたのである。

しかし、そんなことが外国人に分かるわけはない。日本人ですら、大多数は事変が憲法問題から来ていることを知らなかったのである。

日本は満洲事変の釈明のため、ジュネーブの国際連盟で事態の説明をしなければならなくなった。その説明の状況を記録したものを私は読んだことがあるが、日本代表のありさまはじつに惨《さん》憺《たん》たるものであった。

質問を受けても、事実を把握しているわけではないから、答えようがない。それを無理して答えると、今度はその説明を裏切る形で出先の軍隊が問題を起こす。まことに気の毒な状況としか言いようがない。

しかし、それを気の毒に思うのは、問題の本質が憲法の欠陥にあるのだと知っているからである。そのような深刻な問題が進んでいるとは知らない諸外国にしてみれば、日本の行動はまったく理解しがたいものに映った。

やっていることと言っていることが、まったく違うのであるから、「日本には政府が二つあるのか（二重政府《ダブルガバメント》）」という批判が出たのも、無理はない話であった。かつての国際社会の優等生・日本は一転して、まったく信用できない国ということになったのである。

かくして、日本は「世界の孤児」になってしまった。

(5)「悪夢」は、もう起こらない

自由貿易こそが戦争を防ぐ

日本が戦争に突入せざるをえなかった大きな理由は、四つに集約できる。

第一には、アメリカの人種偏見と西進政策から来た対日敵視政策、また、それに関連しての日英同盟の廃止、第二には、日本の経済を危機に追いやったアメリカ、イギリスのブロック経済への突入、第三には、北から迫るソ連の共産主義の脅威、そして第四は、元老という歯止めを失った明治憲法の欠陥であった。

そして、この四つの要素のうち、どれか一つが消え失せれば、日本は戦争に突入することはなかったはずである。

もしアメリカが対日敵視政策を採らず、日本の移民の存在を認めていたら、日本の対米感情も、日露戦争直後と変わらぬまま良好に維持されたであろう。そうすれば、アメリカがどういう行動を採っても、日本は善意をもって対応し、国民もそれほど反感を持たずに従うことができた

と考えられる。そして、日英同盟が維持されていれば、日本はイギリスの意図を尊重する政策を採《と》りつづけたであろう。

アメリカやイギリスがブロック経済に入らず、自由貿易が続けられていたならば、日本が戦争に乗り出すことは、けっしてなかったであろう。

今も昔も、日本は資源がなく、貿易なしには成り立たない産業国家である。自由貿易は、その相手国と友好的でなければ続けられるものではない。それもあって、満洲事変までの日本は対外的に協調路線を採っていた。ところが、いったんブロック経済が始まり、貿易の途《みち》が危機に曝《さら》されるならば、まず生存する方策を考え出さざるをえない。平和的な貿易ができなくなれば、戦争を歓迎する人間が現われてくる。

また、北からの共産主義の脅威がなければ、満洲の陸軍があれだけ危機感を持つこともなかったであろう。そして共産主義勢力の浸透に対抗する緩衝《かんしょう》地帯として、満洲国を利用しようなどという発想も生まれなかったであろう。

さらに、いち早く明治憲法の欠陥に気がつき、その不備を補《おぎな》うことを行なっていたならば、軍部がわがもの顔に闊歩《かっぽ》するということもなかったであろう。そうすれば、日本の外交は一切信用できないという不評を買うこともなく、世界の孤児になるようなことにもならなかったはずである。また、その孤立状況を脱するために、ヒトラーやムッソリーニと同盟することもなかったで

あろう。

日本を開戦に追い込んだアメリカの罠《わな》

だが、この四つの条件が揃っても、世界中を相手にした戦争にそう簡単に突入できるものではない。

それは、この四つの条件が揃った一九三〇年ごろから、実際に対米戦争に入るまでに一〇年以上もの時間的経過があったことを見れば、よく分かる。

日本が開戦に至るひとつの原因は、ヒトラーがヨーロッパを戦場にしてしまったため（一九三九年、ポーランドに侵攻）、世界情勢が一気に緊迫したということが挙げられる。それを背景にして、ますます情勢は険悪となり、一九四一年（昭和十六）には、アメリカ、イギリス、オランダがその国内にある日本資産を凍結し、通商航海条約の破棄を通告してきた。

しかし、最大の原因は一九四一年（昭和十六）八月、アメリカが日本に対して石油の輸出をストップしてしまったことであった。このため、最後まで開戦に抵抗していた日本海軍が決意を固め、これで開戦は避けられないことになったのである。

いくら陸軍がその気になっても、海軍に戦争する気がなければ、海の向こうのアメリカやイギリスと戦争はできない。海軍はあくまで外交交渉に期待をかけていた。だが、石油が入ってこな

くなったため、アメリカとの外交交渉は何の意味も持たなくなってしまったのである。

当時の日本の石油備蓄量は、半年分程度しかなかったとされている。これはすなわち、外交交渉の期限を一方的に決められてしまったようなものであった。

なぜなら、もし、外交交渉がうまくいかず、半年以上も経過してしまえば、日本には石油が一滴もなくなる。それは日本の飛行機も軍艦も動かなくなることを意味した。

日本海海戦にも完勝した日本海軍が、一戦も交《まじ》えずに自滅する道を択《えら》ぶわけはない。ここにおいて、海軍は日米交渉の最終期限を一九四一年十二月上旬に設定せざるをえなくなったのである。

アメリカの意図は日本を屈服させることにあった。絶望感から大戦に突入する国はないはずだ、とアメリカは考えていたようである。

したがってアメリカ側には日本に譲歩する気などまったくなく、一九四一年（昭和十六）十一月二十六日、アメリカの国務長官コーデル・ハルは、それまでの日米交渉の経過をいっさい無視する「ハル・ノート」（左ページ注）を突きつけてよこした。これは東京裁判で「こんなものを突きつけられたら、ルクセンブルクやモナコでも立ち上がるだろう」と言われたほどのものであった。外交専門家の中でも、「これは最後通牒と看做《みな》しうる」とする人が少なくない。

かくて、日本は同年十二月八日、ハワイ真珠湾に奇襲攻撃をかけ、あの戦争に突入することに

なった。

真珠湾攻撃について一言しておけば、あれが無通告攻撃《スニーク・アタック》になったという不名誉は、まったく当時ワシントンに駐在していた日本大使館の怠慢によるものである。彼らは電報受信のための当番を置かず、さらに「現地時間の一時に手交せよ」という日本政府の命令を無視し、勝手に二時に渡したのである。しかも、この手落ちの真相を隠して、責任者一同、出世栄達した。

もはや、戦争はありえない

現代の世界を振り返ってみると、日本を戦争に追いこんだ四つの原因は、すべて消えてしまった。

人種差別は、いまや完全に許されざることになっている。国連憲章においても、人種差別の撤廃は高々と掲げられている。国連の創設を遡《さかのぼ》ること二六年前、日本が国際連盟で、「国家は、人間の皮膚の色をもって差別を行なわない」と提案して退《しりぞ》けられたのが、嘘のように思える時代

●ハル・ノート――日独伊三国同盟の事実上の破棄、蒋介石《しょうかいせき》政府だけを日本が承認すること、さらにはシナやインドシナからの日本軍の即時無条件撤退という要求が示されていた。これらは、それまでの日米交渉の過程を、まったく無視した回答であった。

になった。

ブロック経済を導入した責任については、勝利者のイギリスもアメリカもそれを認識し、深刻に反省した。大戦直後の一九四七年にはジュネーブでＧＡＴＴ（関税・貿易に関する一般協定）が調印され、ブロック経済を捨て、自由貿易を盛んにするために関税は、順次下げていこうとの合意がなされた。その大方針は今に至るまで、変わらず続いている。

また、北からの脅威は、ソ連の崩壊という形で消え去った。

北からの脅威を、戦前の日本人はまことに敏感に感じていたが、どうやら、こういったことは自分自身で体験してみないと分からないもののようである。

たとえば、マッカーサーが連合軍最高司令官として日本に乗り込んできたとき、彼は日本ほど邪悪な民族はないと思っていたようである。彼のイメージは、端的に言えば、ナチスと軍国主義国家・日本さえなければ、世界大戦など起こらなかったというものであった。

だからこそ、彼は日本の戦争責任を裁くための東京裁判を発足させた。

そもそも戦争を犯罪として決めつけ、勝者が敗者を裁くという前提自体が、きわめて勝手なものであり、しかも東京裁判の中心テーマである「侵略戦争の共同謀議」なるものを証明できなかったことは、今や明らかな事実であるが、当時のマッカーサーは、戦争裁判で日本を裁くことが使命であると信じていたのである。

「日本の戦争は自衛の戦いであった」

ところが東京裁判のわずかに二年後、一九五〇年六月、朝鮮戦争が勃発した。

そのとたんにマッカーサーは、戦前の日本が心から恐れた北からの脅威の意味が分かったのである。

共産軍の侵攻を放置すれば朝鮮半島が取られる。朝鮮半島が取られれば、日本が危ない。そこで彼は全力を挙げて、朝鮮半島を守ろうと決意して戦った。結局、アメリカ側は太平洋戦争にも匹敵するほどの死者を出すことになった。

戦いはじめてマッカーサーがすぐ気づいたのは、ソ連や中国がバックに控えた北朝鮮軍と戦う場合、朝鮮半島だけを考えては勝てないということであった。その弾薬や武器は中国やソ連から湯水のように補給されているのだから、その補給線を絶たないかぎり、相手はけっして降伏しない。

勝つためには補給基地となっている満洲を空襲しなければならない。また、東シナ海に面した中国の港を海上封鎖しなければならないということは明白であった。そこでマッカーサーは戦争中、その考えをトルーマン大統領に進言したが、これを拒否されてしまった。トルーマンが、ソ連と原爆戦争に突入することを恐れたからであった。

そのため、マッカーサーは朝鮮半島を守りきることができず、アメリカは北緯三八度線から北

を敵に渡して、休戦協定を結ばざるをえなかった。この体験を通じてマッカーサーは、戦前の日本軍がなぜ、あれほどまでに満洲に執着を見せたのか、また北の脅威とはどんなものなのかを明瞭に理解したのである。

ＧＨＱの最高司令官を解任され、帰国後、上院で演説したとき、マッカーサーが「日本の戦争は侵略戦争というよりは、自衛の戦いであった」と語ったのは、まさに彼の実感から出た言葉であった。つまり、「自分が戦ってみて分かった。ソ連の脅威がなければ、満洲事変は起こらなかった」ということである。

そのソ連も、今や消え失せてしまった。

貿易摩擦が、戦争の要因たりえない理由

日本が戦争に追い込まれた最後の要素はアメリカの反日政策にあったが、現状の日米関係に関して、私はいまのところ徹底的な楽観主義に立っている。

貿易摩擦が問題になるたびに、マスメディアは「開戦前夜のような雰囲気だ」と煽《あお》る。しかし私は、そういう報道に接するたびに、「馬鹿を言え」と思うのである。

開戦前夜、私は小学五年生の少年であったが、その当時の雰囲気を理解するだけの知識は持っていた。これは、当時の少年なら共通した体験であり、今もよく憶えている。

▲泥沼化の様相を見せる朝鮮戦争に直面し、マッカーサー（左・助手席）は、戦前日本が満洲を重要視した理由に気がついたのである

アメリカの反日政策や人種差別、また、ブロック経済によって日本が苦境に立っていたのも、よく知っていた。

小学五年生だった私が、その中で最も注視していたのは、やはり石油の問題であった。日本への石油禁輸を打開するために芳沢謙吉《よしざわけんきち》大使が蘭印《らんいん》（オランダ領インドネシア）に派遣されたことの意味も、充分に理解していた。毎朝、飛び起きてまず第一に見たのは、石油交渉の行方はいかに、という新聞の記事であった。

当時の日本の小学五、六年生は、すでに一人前の軍国少年であり、軍事情勢に対する敏感さは、ある意味で、いまの政治家や評論家の多くをも、はるかに超えていたと思う。

石油問題がこじれれば、かならず海軍が動く、海軍が動けば日米開戦である――これが小学生にも明瞭に分かっていた。

だから、われわれは小学校に行く途中も、石油交渉のことを心配しながら話し合っていたのだ。このままいけば、自分たちも近い将来に戦場に行くことになる、と感じていたからである。

つい先年公開された『昭和天皇独白録』（文藝春秋刊）の中で、昭和天皇は、「日米戦争は油で始まり油で終わつた様《よう》なものである」（同書五四ページ）とおっしゃっているが、このお言葉は実感として私の中にもある。

ついでながら、昭和天皇は「大東亜戦争の遠因」として、

「この原因を尋ねれば、遠く第一次世界大戦后《ご》の平和条約（注・国際連盟の結成を決定したもの）の内容に伏在《ふくざい》している。日本の主張した人種平等案は列国の容認する処《ところ》とならず、黄白（黄色人種と白色人種）の差別感は依然残存し加州（カリフォルニア州）移民拒否の如《ごと》きは日本国民を憤慨させるに充分なものである」（同書二〇ページ。カッコ内はすべて編集部）

と、根底に人種差別があったことを指摘されているが、これも、まことに納得できる御観察であると思う。

このような石油問題、人種問題によって生み出された開戦前夜の緊張と、今日の貿易摩擦の緊張とは、まったく次元が違うものである。このことは、日本人にもアメリカ人にも強調しておきたい。戦前とは類比してもらいたくないし、米ソ対立とも並べてもらいたくない。

そもそも摩擦などというのは、国交があって、貿易が盛んでなければ起こりえない問題である。ソ連と貿易摩擦が起きるという話を聞かないのは、ソ連とはそれほど本質的な貿易がないからにすぎない。日本と国交のない北朝鮮とも貿易摩擦など、まったくない。しいて言えば、未払い代金の焦《こ》げつきがあるくらいだ。

あのころの日米関係は、すでに友好関係のかけらもなかったし、石油を禁輸しようというところまで、アメリカは日本を追いつめていた。現在の状況とは比較にならないのである。

加えて、今、貿易摩擦を起こしている日米の会社同士は、さまざまな契約を通じて密接に繋が

っている。日米の自動車業界は相変わらず激烈な戦争をしているものの、フォードとマツダが株を持ち合うなど、資本面で一心同体になっている面もあるのだ。

企業が国境を越えて結びつくボーダレスの時代において、貿易摩擦などという言葉を使うこと自体、考え直すべきではないだろうか。むしろ、貿易競争とでも言ったほうが、実状に合うであろう。

これだけ密接に結びついている日米関係において、過去のような悪夢が再来するとは考えられず、私はこれに関して、楽観主義で充分大丈夫であると信じている。

第五章

「敗戦」という名の逆説《パラドックス》

——日本の繁栄こそが、現代史を動かした

(1) 逆説《パラドックス》の歴史学

〝人類最後の大戦争〟

日本は大戦争に突入し、そして敗れた。

しかし、もし日本があの戦争を避けえたとしたら、今日の世界はどうなっていただろうか。

もちろん、これは「歴史のIf《もしも》」でしかない。

だが、もしあのまま、人種差別が世界的に維持され、ブロック経済で世界の貿易が閉ざされ、ソ連の圧力が続いていたならば、日本は産業国家として首を締められた状況のままであっただろう。日露戦争以前の状態に戻るということはないまでも、世界の先進国の中では、植民地にはならなかっただけの「第二市民国家」でありつづけるより選択肢はなかったであろう。

日本は、ヒトラーの戦いに引きずりこまれる形で、世界大戦に参戦し、負けた。

その犠牲になった人たちのことを考えれば、今でも心は安らかではない。しかし、人類の歴史から見れば、あのような大規模な戦いは人類最後の戦争だったということに、今さらのように気

がつくのである。

太平洋のような広大な戦場で、大機動部隊を用いた戦争を数年間も続けるというようなことは、当時の日本とアメリカのみがなしえたことであった。すでにイギリスの国力は往年のものではなかったし、当時のソ連の海軍は三流のレベルであった。ドイツも海軍は問題にならなかった。

結局、当時の二大海軍国はアメリカと日本であった。その二大国が正面からぶつかったのが、あの戦争だったのだ。われわれは、いわば千秋楽で負けたほうの横綱であった——この事実だけは、きちんと踏まえておく必要があると思う。

そして、それほどの戦いであったからこそ、戦争が終わったとき、世界の歴史は大きく動きはじめたのであった。

これがただの二国間戦争であったなら、戦争が終われば何事もなかったかのように歴史の流れは元どおりになっていたであろう。つまり、世界の歴史は日露戦争以前の状態に復帰し、人種差別は続き、現在でも有色人種は白人たちの支配を受けていたはずである。

だが、そうはならなかった。

日本の敗戦で歴史の流れが逆流するどころか、かえってその勢いは奔流《ほんりゅう》のごとくになり、世界中から人種差別が追放されるという結果になった。日本は敗れたが、結果は日本の望むとおり

になったのである。

歴史における逆説《パラドックス》を、日本は実現したのである。

この現象を、逆説という視点こそ持ちこんではいないが、私と同じ結論に達している人に、著名なアメリカの経済学者にして思想家のP・F・ドラッカーがいる（彼の『断絶の時代』ダイヤモンド社刊は世界的ベストセラーであった）。

彼は近作『新しい現実』（上田惇生訳・ダイヤモンド社刊・昭和六十四年）の中で、次のように言っている。すなわち、

「しかし、結局のところ、最後に勝ったのは、日本だった。

日本のとった道、つまり自らの主権のもとに、近代化すなわち西洋化をはかるという道が、結局西洋を打ち負かした。日本は、西洋を取り込むことによって、西洋の支配を免れた。

軍事的には、日本は第二次大戦において、歴史上もっとも決定的な敗北を喫した。自ら植民地大国たらんとする政治的な野望は達せられなかった。

しかし、［逆説が起こって］その後の推移では、政治的に敗北したのは、西洋だった。

日本は、西洋をアジアから追い出し、西洋の植民地勢力の権威を失墜させることに成功した。

その結果西洋は、アジア、ついでアフリカの西洋化された非西洋世界に対する支配権を放棄せざ

るをえなくなった」(同書四一ページ)

左の引用文の中で［逆説が起こって］という部分は、私の挿入である。ドラッカーのごとく、大陸（ウィーン）で生まれ、ロンドンで活躍し、その後にアメリカの教授になった国際的な人にも、かすかながら「日本の虹」が見えたことを嬉しく思う。

イギリスを揺るがしたアメリカ独立

過去の歴史においても、パラドックスとしか表現しようのないことが、しばしば起こっている。つまり、ある国にとって不幸な出来事としか思えない出来事が、結果として、その国の繁栄を生みだしてしまうという不思議な現象のことである。

たとえば、アメリカに独立されてしまったイギリスのことを考えてみよう。

一七七五年、アメリカ東海岸にあったイギリスの植民地は、長く続いた植民地統治から抜け出すため、イギリスに戦争をしかけた（アメリカ独立戦争）。

イギリスにとってアメリカが独立してしまえば、二〇〇年間にもわたる莫大な投資をふいにしてしまうことを意味する。日本は敗戦で、朝鮮や台湾などに対する巨額の投資を一朝《いっちょう》にして失ったが、年月だけで比べても、当時のイギリスが失うもののほうが、何倍も大きかった。

イギリスはアメリカ独立を阻《はば》むため、五年以上にわたって戦った。が、途中、フランスなどがアメリカに同情的で、応援したこともあって、史上はじめて、宗主国が植民地に敗れるという恥をさらすことになった。

これは、イギリスにとって大打撃であった。

イギリス経済を支《ささ》えるための収入源たる植民地を失ったばかりではない。数年にわたる戦争によって、国庫は空になった。ジョージ三世（在位一七六〇～一八二〇年）は恥辱《ちじょく》のために、精神がおかしくなってしまった。三重の苦しみがイギリスを襲ったのである。

当時のイギリス国民が、「わが国の運命は下がる一方になるだろう」という印象を持ったであろうことは想像にかたくない。

なぜ、イギリスは歴史の主人公になりえたのか

ところが、真の意味でのイギリスの繁栄は、このおよそ五〇年後から始まるのである。十八世紀末には産業革命が起こり、ビクトリア女王が即位し（一八三七年）、イギリスは世界経済をその手中に収めた。

アメリカという植民地を失ったことは、かえってイギリスにとってプラスに働いたのである。

イギリスはアメリカ植民地を失ったことにより、かえって身軽になり、その直後に起きたヨー

ロッパの動乱をくぐり抜けることができた。一七八九年から始まったフランス革命や、その後のナポレオン戦争に、イギリスがアメリカを抱えたまま突入していたら、身動きがとれず、独立戦争よりも大きな打撃を受けていたであろう。のちのイギリスの発展などは夢物語になったはずである。

大英帝国の繁栄は、まさにパラドックスによって生み出されたのである。

冷たい言葉に聞こえるかもしれないが、アメリカの独立によって、予想どおりイギリスの運命が下り坂になったならば、「アメリカという植民地のおかげで一時的には栄えたことはあっても、結局、イギリスは歴史の主人公にはなりえない、平凡な国にすぎない」と後世の歴史家は評価したことであろう。

イギリスがなぜ、偉大な国、歴史の主人公たる国と言われるかといえば、とどのつまり、ほかの国ならば取返しのつかないような大事件が、しばらくたってみると逆にプラスの方向に働くことがしばしば起こったからではなかろうか。

すなわち、パラドックスゆえにイギリスは偉大なのである。

しかもイギリスの歴史は、このパラドックスの連続であった。

ここで詳しく説明する紙数がないのは残念だが、たとえば一二一五年に成立したマグナカルタ（大憲章）も、このようなパラドックスの一つであろう。これによって、はじめて王権を制限さ

れたイギリス王室が、かえって盛んになるということが起こっているからだ。

「この世の終わり」と言われた承久《じょうきゅう》の乱

日本史にも、パラドックスは何度か起きている。「これが世の中の終わりか」と誰しもが思ったときが、後から見れば幸運の始まりだったということが、幾度となく起きているのである。

その最も目ざましい例は、承久《じょうきゅう》の乱（一二二一年）であろう。

時の後鳥羽《ごとば》上皇が、鎌倉幕府の執権《しっけん》・北条《ほうじょう》氏の権力を憎み、武力討伐しようとしたのが承久の乱であった。

上皇は北条氏に不満を持つ武士を糾合《きゅうごう》し、討幕の兵を起こした。だが、当時の執権は北条義《よし》時《とき》であり、その子・泰時《やすとき》とともに、名だたる武将であったため、後鳥羽上皇の軍隊は簡単に負けてしまった。乱は二カ月も続かなかった。

さて、この乱の戦後処置として北条氏がやったことは、それまでの常識をはるかに超えたものであり、当時の人々は、この処置を前例のないこととして、世も終わりであるという感想を抱いたものである。

北条氏は、首謀者の後鳥羽上皇を隠岐《おき》の島に流し、乱を熱心に支持した順徳《じゅんとく》天皇を佐渡島《さどがしま》に流した。また、乱に直接の関係はなかったが、自分だけ京都に残るのを望まなかった土御門《つちみかど》上皇

を土佐に流した。

天皇や上皇を三人も島流しにする。しかも、流された土地は、当時の感覚では、まったく文化の及ばぬ僻地《へきち》であった。また、都に帰ることは許されず、流された土地で死ぬに任《まか》せる扱いであった。

これを知った人々は、みな乱世の始まりを予感した。とくに、天皇家や公家たちから見れば、神代《じんだい》以来の皇室の歴史も、これで終わりだと思いこんだに違いない。

〝神風〟を招き寄せた鎌倉武士の奮闘

ところが約五〇年経ってみると、まさにこの北条氏の決断があったために日本国が残り、皇室も残ったという事実が誰の目にも明らかになった。

承久の乱から数えて五三年後の一二七四年（文永十一）、蒙古《もうこ》の大軍が玄界灘《げんかいなだ》を渡って九州に上陸した。いわゆる元寇《げんこう》である。

元寇は、神風が吹いて蒙古軍の船が沈んだことが、直接の勝因とされている。それはそれで正しい。だが、この神風は、執権・北条時宗《ときむね》が率《ひき》いる日本軍の奮戦があったからこそ起きたのである。

とくに二度目の来襲であった弘安《こうあん》の役《えき》（一二八一年）のときは、敵の先発隊（約四万人の兵）が

来たのが五月ごろ、本隊（約一〇万人）が来たのが八月ごろであった。合わせて一四万の大軍が押し寄せてきたわけだが、これに対して、日本軍は八月に本隊が来るまで、蒙古軍（うち一万はコリア兵）を一歩も上陸させなかった。

三カ月近くも蒙古軍を玄海灘に止《とど》めていたのであるから、その間にいくら運が悪くとも一度ぐらいは神風、すなわち暴風が起こって当然である。

その意味で日本の勝利は、けっして不思議なものではなかった。

そして、この日本軍の奮戦は、鎌倉の北条政権が磐石《ばんじゃく》で、とくに時宗の指導力が優れていたことに由来するのである。

もし、後鳥羽上皇が承久の乱で勝利を収めていたら、神風は吹いたであろうか。あるいは、承久の乱後に北条氏が、天皇や上皇に厳しい罪を与えていなかったらどうであったか。

おそらく、日本軍のあれほどの奮戦はありえず、したがって蒙古軍はいとも簡単に日本に上陸し、都へと進軍して行ったであろう。皇室は箱根の山の東へ逃げ、さらに追われて白河《しらかわ》（現在の福島県）へ逃げ、ことによると北海道あたりにまで行って、やがては消えてしまった可能性もある。そこまでいかずとも、現在の中国地方が本当の中国領になっていたことは容易に想像できる。

しかし現実には、日本の天下は、五〇年前に三人の天皇だった人物を島流しにし、その島で鎌

倉を怨《うら》んだまま死んでも、いっこうにかまわない、という態度を全国に示した強烈な北条氏が握っていた。

〝祟《たた》り〟を恐れぬ北条政権の強さとは

そして、このときの北条氏が日本人に示したのは、「祟《たた》りを恐れない」という〝新時代の精神〟とでも呼ぶべきものであった。

祟りというのは日本史を考えるうえでは、きわめて大きな要素である。たとえば院政のころ、崇徳《すとく》上皇は保元の乱（一一五六年）を起こしたものの、敗れて、讃岐《さぬき》の松山に流された。

上皇は、許しを請うために、血を刺し、三年がかりで親《みずか》ら五部の「大乗経」を書いて都に差し出したが、そんな経はいらぬと後白河天皇に突き返されてしまった。

それからというもの、上皇は髪も梳《くしけず》らず、爪も切らず、舌を嚙《か》んで血を出し、その血で経文の軸ごとに「願わくは大魔王となって天下を悩乱《のうらん》せん。謹して五部の大乗経をもって悪道に回向《えこう》せん」と書いた。すべては、皇室を潰《つぶ》すという願いのためだった。

天皇だった人が「自分は日本国の魔王とならん」と誓ったのだから、すさまじい。

このことを知った当時の皇室は、挙げて震《ふる》えあがってしまった。そしてその挙句《あげく》、本当に潰れ

てしまった。

崇徳上皇の死からわずか二〇年後（一一八五年）、崇徳上皇を流した側の平家は壇《だん》の浦《うら》で滅び、幼い安徳《あんとく》天皇も入水《じゅすい》して亡《な》くなってしまったのである。後白河法皇は寿永三年（一一八四）に粟《あわ》田宮《たのみや》を建てて、崇徳上皇らの鎮魂を試みていたが、その翌年に悲劇が起こったことになる。

人々はみな、これが崇徳上皇の祟りであると考えた。現職の天皇が、戦場で亡くなるというようなことは、当時の人には崇徳上皇の祟りとしか思われなかったであろう。

当時の人間が祟りを恐れたことは、現在からは想像もつかないほどであった。平安時代の仏教などは、いかにして祟りを避け、それを追い払えるかが主たる関心事であったほどである。

ところが、鎌倉幕府の北条政権は真に禅宗が分かった政権であった。

禅宗は「不思議」ということをいっさい認めない宗教である。「正法《しょうぼう》に不思議なし」と言う。宗教というより、一種の哲学と言ったほうが、実態に近い。無論、祟りなどは全然問題にしない。だからこそ天皇を流しても平気であった。

もし祟りを恐れるような気分が残っていたら、承久の乱を起こした北条氏の反対勢力を、天皇や上皇もろとも根こそぎ一掃するということはできなかったであろう。

しかし実際には、流された先の僻地《へきち》で、天皇だった人たちが三人も——崇徳上皇の場合のように一人ではない——、怨みを呑んで亡くなられようとも、北条氏は祟りを恐れず、断固たる姿勢

▲２度にわたる元《げん》の襲来を、日本が防ぎえたのも〝祟《たた》り〟を恐れない北条《ほうじよう》政権が武士の上にあり、しかも禅によって悟《さと》った北条時宗《ときむね》(右)が指導者であったからである。これは〝歴史の逆説《パラドックス》〟の好例である

を採ったから、元《げん》が押し寄せてきたときにも、日本の武士は全員一致してそれを防ぐことができたのである。

しかも当時の執権・北条時宗は、代々の北条氏の中でも禅宗を最も理解した人物であり、青年ながらすでに悟《さと》りを開いていたほどの人物であった。

悟りを開くというのは、すなわち、何物をも恐れない、どんなことに出会っても判断が鈍《にぶ》らないという境地である。蒙古が来たというので困惑した武士たちが鎌倉にやって来たが、北条時宗に会ったとたん、電撃のような勇気を得たというが、これは真の意味で時宗が悟っていたからに外ならない。

承久の乱によって、皇室とともに日本も滅びるがごとく思われたにもかかわらず、五〇年も経ってみると、まさにそのことによって、かえって日本の独立が保《たも》たれ、皇室が安泰になった——これこそが歴史のパラドックスであり、日本は幸いなことに、この種のパラドックスを歴史の中に何度も持ちえた国であった。

「逆説なき国」——ロシア

イギリスや日本とは対照的に、逆説が起こらない国もある。

たとえばロシアは長い歴史の中で、パラドックスがあまり起こらなかった国家のようである。

ロシア帝国はピョートル大帝（一六七二〜一七二五年）以後、その領土を拡大しつづけた挙句、日本と衝突し、日露戦争に敗れた。

ではロシア帝国にとって、日本に負けたことがかえってプラスに働くという、パラドックスが起きたであろうか。起きなかったのである。

そのためにロマノフ王朝は威信を失墜し、わずか一二年後にはボルシェヴィキ革命（一九一七年）によって跡形《あとかた》もなく消えた。ロシア帝国の版図《はんと》はたしかに広かったが、このような国家は、はたしてイギリスや日本がたどったような意味において、偉大であると言えるだろうか。

さらにもうひとつ例を加えておけば、スペインもロシアに似たところがある。

スペインはコロンブスさえ送りだした先進大国であった。それが、アメリカと戦争して敗れた（一八九八年の米西戦争）。

これにより、スペインはカリブ海の支配権を失い、グァム島やフィリピンを失って、太平洋でも無力になった。アメリカに敗れたイギリスが、その五〇年後には「イギリスの時代」を実現したのに、「スペインの時代」は起こらなかった。歴史のパラドックスはなかったのである。

イギリスとスペインでは、歴史の質が違っていたのだと言えよう。

(2)日本が叩《たた》き潰《つぶ》した人種差別の思想

人種偏見に満ちていた白人社会

一九四五年に日本は戦争で徹底的に敗れるという体験をした。それは痛烈な体験であった。忠勇な陸海軍将士約一六〇万、その他の国民約一四〇万が、そのために戦歿したと言われる。

しかも、日清・日露の将士が血を流したところもすべて失い、犯罪国家のごとき取扱いまで受けた。その傷は癒《い》えていない。

だが、そのことによってさらにもう一回、歴史においてパラドックスが起こるという、まことに稀《まれ》な体験をすることができたのも事実なのである。

日露戦争以来、変わりはじめた歴史の流れが、この敗戦によって決定的にその方向を変えてしまったのである。五〇年も経つと歴史のパラドックスがそろそろ見えてくるのだ。

日本は連合国と戦って勝つために、「総力戦《トータル・ウォー》」の名が示すように全国民を一致団結させる必

要があった。それには、自分たちが正義であるということを主張するのが、最も効果的な手段であり、それに適《かな》ったスローガンを考えださねばならなかった。

そこで、選ばれたのが「大東亜共栄圏」の理想であるが、これは当時、タイ国を除けば、すべて白人の植民地であったアジアを、白人の手から解放するということであり、つまりは「人種差別の撤廃」という理念であった。

このことは、当時の日本人はみな知っていた。ただ、政府は、外交上のマイナス効果を恐れて、「人種」という言葉をスローガンに使わなかった。

ところが開戦当時、あれほど人種差別を実践していた白人の国々が、終戦後に誕生した国際連合の規約で人種差別撤廃を言わざるをえなかったのは、白人の国にとって、まことに皮肉な話である。日本が一九一九年（大正八）に国際連盟に同じ条項を提案したときに、採択してくれたなら、そもそも戦争はなかったのである（151ページ参照）。

戦争前の白人たちが、どれほど人種差別の偏見に満ちていたかという話は、日系アメリカ移民の話を別にしても、いくらでも挙げることができる。

アメリカのベストセラー作家ハーマン・ウォークの小説『戦争と追憶』（*War and Remembrance* 本邦未訳）は、第二次大戦を扱った大河歴史小説である。この中に、実話を基《もと》にしたと思われる、次のようなエピソードが出てくる。

開戦直前のイギリス領シンガポールを訪れたイギリス女性パメラが、シンガポール総督（もちろん、イギリス人）の招待で、当地のタングリン・クラブでのパーティに行く。そのクラブの前まで送ってくれたのは、シンガポールでマレイ放送局を経営するマクマーアンという紳士であった。

マクマーアン夫妻も、そのパーティに一緒に行くものだとパメラが思っていると、彼は「私たちはパーティに出ない」と意外なことを告げる。パメラがその理由を尋ねると、マクマーアンは、「私は妻と結婚したときに、このクラブを辞めたのです」と答えたのである。彼の妻がイギリス人とビルマ人の混血であったからだ。

戦前の白人社会には、その妻が有色人種との混血であるという理由だけで、社交クラブから脱退しなければならないほどの人種差別が存在した。

もちろん、現地妻を持つこと、つまり、公式の妻でない女性となら同棲しても、いっこうにかまわない。

当時は何となく素朴進化論的人種観が浸透していて、人種にも発達段階があり、白人、黄色人、褐色人、黒人の順序でランクが下がり、その下にはオランウータンのような類人猿がいるような感じであった。

白人の社交界では、つまり公式の場では夫妻は同等に扱われる。その場合、妻が有色であった

場合、一座の人は類人猿に同格を要求されたような気分になったものらしいのである。

「有色人種は猿のごときものである」

戦前の日本は、すでに有色人種の国の中で、唯一、先進国の仲間に入れてもらった国家であったが、その日本人と結婚することも白人社会の中ではタブーであった。

イギリスの有名な詩人エドモンド・ブランデン（一八九六〜一九七四年）は、戦前の東大文学部で約三年間、英文学を講義した経験を持ち、また、戦後もイギリス政府の文化使節として来日して、大きな学問的刺激を与え、日本学士院名誉会員に推《お》されている。私も大学の英文科で彼の講義集を教科書とした授業を受けたことがある。

その彼には日本人妻がいて、献身的なまでに彼女は自分の人生を彼に捧げた。彼女は、自分の財産をブランデンに遺贈したりもしている。

彼は離婚した前妻が死んだら、結婚しようと言っていたらしいが、結局、実行しなかった。だが、日本人と結婚しなかったからこそ、彼は桂冠《けいかん》詩人（英国において、詩人に与えられる最も栄誉ある称号）になれ、オクスフォード大学の詩学教授にもなれたというのは、否定できない事実である。

優れた学者・詩人で、日本でも多くの弟子を育てたような優れた教育者であった彼でも、そう

だったのである。彼の友人や弟子たちの書いた伝記は、この女性に触れていない。

さらに遡《さかのぼ》れば、幕末において、最も知日的な外交官であったアーネスト・サトー（イギリス人。倒幕派を支援し、明治維新成立に貢献した）にも日本人妻がいた。

サトーは、その妻や子を愛し、子どもにはイギリスで正式な教育を与え、財産まで残したが、入籍はしなかった。といって、白人女性の妻がいたわけでもなかった。第二次世界大戦が終わるまでのイギリス人社会においては、日本人妻がいても入籍さえしなければ問題にされなかった。だが、ひとたび入籍してしまうと、先のハーマン・ウォークの小説にあったように、白人社会から追放されたのである。

サトーは、そういう現実を見て、正式な結婚を諦《あきら》めたのであろう。彼がのちに国際会議の英国代表になり、サーの称号まで授与されたのも、彼が正式に結婚しなかったためだと言っていい（ちなみに、彼の公式の伝記は、この日本人妻のことには一行も触れておらず、「終生、娶《めと》らず」と記すのみである）。

これとまったく逆の例が、小泉八雲《こいずみやくも》、すなわちラフカディオ・ハーン（小説家、日本研究家。代表作に『怪談』など）のケースである。

島根県出雲《いずも》に滞在していたハーンは、小泉セツという女性に身の回りの世話をさせていたが、セツに子どもが生まれてしまった。

当時の常識としては、その子を認知しなくても問題はなかったが、彼は息子を愛するあまり、日本国籍を取り、小泉家に入る決心をする。おそらく、彼自身、母親がイギリス人でなく、苦労した経験があったからではないかと思われる。

しかし、ハーンは日本人と結婚したために、東大在職中は同僚の白人たちから完全に孤立してしまうのである。

その当時の白人の感覚としては、日本人と結婚するのは猿と結婚するのと似たようなものだと思われる。白色人種と有色人種とでは進化の度合が違うのだ、ということが真剣に議論されたくらいだから、これはけっして誇張ではない。

ハーンを彼らの仲間に加えるとなると、ハーンの妻も自分たちの交際仲間になってしまう。猿を白人なみに扱えるものか、というのが彼らの感覚だった。

ハーンが死の床にあったとき、ロシアのバルチック艦隊が日本に刻々と近づきつつあった。彼は連合艦隊司令長官・東郷平八郎《とうごうへいはちろう》大将の写真を枕元に置き、ときどきその写真にキスして「東郷さん、この戦争には勝ってくだされよ」と言っていたそうである。

日本がロシアに敗れれば、日本人は猿扱いになる。ロシアのニコライ二世は、いつも日本人のことを〝猿〟と呼んでいた。だが、日本が勝てば、日本人は名誉白人扱いになるであろう、とハーンは考えたのである。

ハーンを私は卒業論文のテーマにしたが、その記録を読んだときの悲痛感を四十数年経った今でも、生々しく憶《おも》い出すことができる。

"白人神話"を叩《たた》き潰《つぶ》した日本軍の活躍

これほど根深いものであった人種差別が、第二次世界大戦によって根底から崩れていった。戦後、白人たちは、何とか昔の状態に戻そうとしたが、すでに後戻りができなくなっていることに、はしなくも気づかされたが、それは日本のためであった。日本だけのためであった。

たとえば、東南アジアの状況を考えてみれば、よく分かる。

日本軍は、敗戦とともに東南アジアから引き揚げた。イギリス、フランス、オランダなどはこの地を戦前の状態、すなわち植民地に戻すべく、そこに軍隊を送りこんだ。独立運動の高まりを抑圧するためであった。

戦前なら、独立運動はただちに鎮圧され、話が終わるはずであった。事実、コロンブスの新大陸発見以来、有色人種の白人に対する反乱は数多くあったが、みな簡単に潰されてきた。

しかし、日本軍が引き揚げた後の東南アジアでは、そうはいかなかった。それは、なぜだろうか。

日本が東南アジアに進攻し、列強の植民地を占拠した時が、日本軍最強の時期であった。

このときの零戦《ゼロ》は、撃墜不可能の戦闘機と言ってもよかった。零戦はイギリスやアメリカやオランダなどの戦闘機を圧倒的な力で叩《たた》き落とした。これに対して、日本軍の損害はゼロに近かった。

また、海上においても、日本軍はまことに強力であった。

七つの海を制したイギリスの艦隊も、日本の敵ではなかった。イギリス東洋艦隊旗艦プリンス・オブ・ウェールズやレパルスも、なすすべもなく海の底に沈んでしまった。オランダやアメリカの艦隊も、同様であった。ところが、日本の軍艦はいっこうに沈まない。

この圧勝を目《ま》の当たりにしたとき、東南アジアの人たちは、自分たちが従来持っていた、白人に対する概念が音を立てて崩れていくのを実感したのである。

しかも、パレンバン（スマトラ島）やメナド（セレベス島）の攻略において日本軍は、落下傘《らっかさん》部隊まで使った。

紺碧《こんぺき》の空から白いものが降ってくる。それがじつは人間であると知った現地の人たちは、神さまが降ってきたとは思わないまでも、そんなことができるのは白人以外にないと思ったにちがいない。

ところが、降りてきたのは自分たちと同じ顔の日本人であった。しかも、その日本兵たちが、たちまち現地の白人を一掃してしまったのだから、天地がひっくり返る思いであったろう。

インディアンの誇りを奪った白人の残虐

日本を除く世界中の有色人種たちは、数百年にわたって「白人に対しては絶対に手を上げてはいけない」ということを親たちから教えこまれていた。それは、一種の本能になっていた観があるほどだった。

もちろん、有色人種が白人に対して反乱を起こしたことは過去に何度もある。最も有名な例はアメリカ・インディアンたちの勇敢な抵抗であり、これは西部劇でも知られているとおりである。

ところが、白人たちは自分たちの仲間が殺されると、徹底的にインディアンのその部族に報復した。さすがにこれは後味が悪いためであろう、西部劇では描かれることは少ないが、相手のインディアンの部族を、男ばかりか女・子どもまで、すべて虐殺したことも稀《まれ》ではなかった。

戦場において白人を一人殺したばっかりに、部族全員を虐殺されてはかなわない。それで、絶対に白人に手を出してはいけないということが、インディアンたちの不文律になった。三〇年も経《た》たぬうちに、西部劇に出てくるような、反抗するインディアンはいなくなったのである。

あれほど颯爽《さっそう》たるインディアンたちも、白人の圧倒的な力の前に、みんな腑《ふ》抜《ぬ》け同然になってしまった。たちまちインディアンも、白人にとっては絶対に安全な存在になったわけである。

これと同じようなことが、東南アジアでも何百年にもわたって行なわれてきたのである。すで

▲セレベス島メナドに降りる日本軍の落下傘部隊（昭和17年１月）。緒戦における日本の圧倒的勝利は、現地の人々の白人観を覆《くつがえ》してしまった

に白人に対して抵抗しようと考える者は誰もおらず、それこそ、白人と目を合わせることすら、憚《はばか》られるようになっていた。

そこにやってきたのが、自分たちと同じ顔をした日本人であった。先祖代々、何百年間も「絶対に手を上げてはいけない」と言われた白人を武力で一掃し、捕虜にし、土木工事などにこき使ったりした。

おそらく当時の日本人のことであるから、働きの悪い白人捕虜は尻を蹴飛ばしたり、ほっぺたを張るようなこともあったであろう。それを見たとき、現地の人々は長い悪夢が一挙に覚めるような思いがしたにちがいない。

「見る」ことから始まった東南アジアの独立運動

悪夢も、一度覚めてしまえば、もう二度と元には戻らない。

だから日本軍がいなくなってから、ふたたび白人たちが軍隊を送ってきても、もう以前のようにはならなかった。今度は絶対に屈しない。また、日本軍の中には引揚げを拒否し、現地の独立運動に参加した兵隊たちもいた。

このころの状況について、あるイギリス人は次のように書いている。

「かつてのマレー人は、じつに気立てのいい民族だった。何を言いつけても〝イエス・サー〟、

何を命じても〝イエス・マスター〟と言っていた。ところが、わずか三年半ぐらい日本人と一緒にいただけで、みな根性が悪くなってしまった。いまや何も言うことをきかなくなった」と。

この話ほど、東南アジア独立の意味を端的に教えてくれるものはない。

植民地の独立は、民族自決などというスローガン、言ってみればイデオロギーによってなしえたものでは、けっしてない。白人の人道主義も、社会主義や資本主義も、またアラーの神も植民地廃止には何の関係もない。キリスト教は植民地を作るのには貢献したが、解放には役立たなかった。

有色人種が持っていた白人に対する劣等意識を吹き飛ばしたのは、目の前の現実であった。有色人種の日本人が、白人を戦場において倒すという、きわめて即物的な事実が、東南アジアの人人の観念を変えてしまったのである。

「見る」ということの重要さを、私はすでに本書の中で何度も強調してきた。

見るということは、単純素朴《そぼく》なことのように思われがちだが、これほど強力な原動力は、ほかには見あたらない。「やれば、できる」と口を酸っぱくして何度も言うよりも、目の前で一回やって見せることのほうが大事であり、歴史を動かす力となりえるのである。

現に、明治維新によって日本の近代化を見て、あるいは日本の留学制度の成功を見て、アジアの国々は動いた。さらに、日露戦争の勝利を見て、ほかの有色人種の人々は独立の光明《こうみょう》を見出

した。これが見ることの力でなくて何であろう。

東南アジアの人々は、日本が白人国に勝ったところを見て、戦後の独立運動を始めるきっかけを得たのである。

フィリピンの〝不幸〟は、なぜ生まれたか

ただフィリピンの人々だけは、戦争の後半に日本軍が負けるところを見てしまった。このため、「いくら有色人種ががんばっても、白人には勝てない」という印象を深めただけに終わったようである。

フィリピンが今もってアメリカの影響を受けること大であり、ほかのＡＳＥＡＮ（東南アジア諸国連合）の国に比較して、復興が著《いちじる》しく遅れているのは否定できない事実である。また、ほかの東南アジアの諸国が、ストレートに「日本を見習え」というキャンペーンを打ちだしているのに対し、フィリピンからはそんな声が聞かれないのも、これが関係しているように思える。

最近、ある友人からこんな話を聞いた。

フィリピンの知識階級にとって、最も不思議なのは近年の台湾の繁栄であるという。

どうして台湾は、あんなに経済がいいのか。彼らはカネが余りすぎて困っているらしい。外貨の蓄積量は世界のトップ・クラスというではないか。それに引き換え、台湾とはわずかバシー海

峡を隔《へだ》てるだけの、わがフィリピンはどうか。まったく絶望的な経済状況である。

「そこで」と、私の友人は言う。

「やはり、われわれも台湾と同じように日本の植民地になっておけばよかったと、フィリピンの知識階級は話しているらしいのです」

この話は出来すぎており、本当かどうか疑わしい。だが、あながち嘘と聞こえないところに、現在のフィリピンの悩みが示されているように思える。

有色人種の日本人は最初はアメリカ人に勝ったけれど、やっぱり最後に負けたじゃないか、という経験こそ、現在のフィリピンの病根なのである。本当はフィリピン人は、教育も比較的に高い国なのだから、東南アジアで最も繁栄してもよいはずなのである。

TV映像がもたらしたアメリカ公民権運動

一九五〇年代は、東南アジア独立の時代であったが、六〇年代に入ると、これがアフリカに及ぶことになった。なかには、国家の体《てい》をなしているのかどうか、疑わしい国もあったが、喜ぶべき事態であったのは言うまでもない。

第一次大戦後の国際連盟の規約に署名したのは四五カ国であった。現在の国際連合加盟国は一六六カ国（九一年末時点）である。この間に増えた約一二〇カ国のほとんどは、第二次大戦後に

独立した国と言ってよい。

そして、これらの新独立国家は、いずれもその代表をニューヨークの国連本部に送り込んだ。また、事務総長に有色人種の人間が選ばれることも珍しくなくなった（現在のガリ事務総長も、エジプト出身）。また多くの委員会においても、色のついた人たちが白人に混じって、しかもまったく後《おく》れをとることなく活躍し、しばしば委員長職にも就任している。

こういった国連での様子を「見た」のが、アメリカの黒人たちであった。

彼らはこの時点においても、まだ国内で厳しく差別されていた。

私は六〇年代末、フルブライト基金の客員教授としてアメリカに暮らしていた。南部にもいたことがある。黒人人口の多い南部でも、当時エリート校とされた大学はすべて白人のものであり、私のいた大学にも、黒人の学生は一人もいなかった。

ところが、彼ら黒人がテレビで見たものは――六〇年代のアメリカはカラー・テレビがすでに普及していた――、国連という大舞台で活躍している黄色人種やアフリカなどの黒人の姿であった。

それを見たときに彼らが、自分たちだけが差別されているのだという実感を得たとしても不思議ではない。「これは何だ」と、強烈な思いに駆られたことであろう。

まことに「見る」というのは、重要なファクターなのである。

このとき、アメリカの黒人にとって幸福だったのは、その指導者としてキング牧師（非暴力主義による黒人運動のリーダー）のような、白人にも受け容れやすい穏健な人物がいたということであった。また、ベトナム戦争が行き詰まり、ベスト・アンド・ブライテストと言われるアメリカ指導者階級の権威が墜《お》ちたこともあって、公民権運動は七〇年代に成功を収めたのである。

まだいろいろ深刻な問題はあるにせよ、首府ワシントンをはじめとして、ニューヨークなどで黒人市長が生まれるなど、アメリカ国内でも旧来の人種差別は消えつつあるのは、ご承知のとおりである。

これもまた、日本があの大戦に突入し、しかも敗れなかったら、起こりえなかった状況であると言ってよい。

(3) 米ソ対立を消滅させた日本の技術力

オイル・ショックという名の逆説《パラドックス》

大戦が終わって五〇年経った今日の世界において、コロンブス以後五〇〇年近く続いた白人優位の世界も終わりを迎えつつあることは、いまや明白な事実となった。そして、その大きな流れの中で、すべての出来事が日本にとって有利に働いてきたことも、否定することはできない。

たとえば、一九七三年十月に始まったオイル・ショックも、一見、日本の経済の終わりかと思わせる出来事だった。だが、結果的には日本の成功を導く原因になった。これも一種のパラドックスであろう。

当時の世界で、オイル・ショックの波をまともに受けたのは、日本だけであった。アメリカもヨーロッパもソ連も、それぞれ石油を自国で掘ることが可能であった。また、戦争に明け暮れるアラブ産油国に武器を売って、石油を調達することもできた。

唯一、深刻だったのは産油国でも武器輸出国でもなかった日本のみであり、追いつめられた結

果、省エネ路線を採らざるをえなかった。

日本にとってきわめて幸運だったのは、オイル・ショックの前後、日本のメーカーが社運を賭けて、ハイテクに挑戦し、それに成功しつつあったことだ。そのころには、すでに日本の半導体産業は世界のトップに立とうとしていたのである。

この半導体技術が、日本の省エネ革命を可能にした。高度なエレクトロニクス技術によって、精密な制御が可能になり、それによって、少ない資源やエネルギーで製品が造れるようになったのである。その象徴とも言えるのが、産業用ロボットの登場であった。

また、省エネに走ったがゆえに、それを支える半導体産業がさらに盛んになり、それによって省エネが徹底するという好循環も生まれた。

ライフ・スタイルを作る日本のハイテク商品

日本のハイテク産業にとって、オイル・ショックはまさに起爆剤となったのである。そして、日本が次々と開発するハイテク商品は、その後の世界中の人々のライフ・スタイルをも一新させてしまった。

十九世紀末から一九八〇年代初頭まで、世界中の人間のライフ・スタイルは〝アメリカン・ウエイ・オブ・ライフ〟という言葉に象徴されるように、アメリカが作りだしたと言っても過言で

はない。

一八七〇年代にはエジソンが登場し、白熱電球、映画、蓄音機などの発明をした。また、一八七六年にはグラハム・ベルが電話を発明する。また、ヘンリー・フォードは、安価な自動車を大量生産する技法を開発し、自動車をみんなの買えるものにした。その後も、テレビをはじめとする一連の電化製品がアメリカで生み出され、これが日常生活を革新していった。

その影響力はすべての国に及び、ソ連・東欧圏までもがアメリカの後を追って、そのライフ・スタイルを真似しようとした。かつての日本人も、ハリウッド映画を見て、そこに出てくるアメリカ人の生活に大いに憧《あこが》れた。

大きな冷蔵庫や洗濯機やクーラーのある家や、自動車を乗り回したり、美しい洋服を着る生活に憧れ、自分たちもそういう暮らしができるようになりたいと願った。そして、それらはすべて、アメリカ製であった。

ところが、日本が省エネ路線に成功した時から、それがすっかり変わってしまった。

現代において、世界中の人たちがこぞって欲しがるという商品は、みな日本が作っている。VTR、CDプレイヤー、ファクス、ゲーム・コンピュータなどなど、みんな日本が一手に製造しているものばかりである。現在、ハイビジョン・テレビが話題になっているが、これも世界中の人々が欲しがる商品になることだろう。

もちろん、これらの商品の原理は、けっして日本で発明されたものばかりではない。

だが、この場合、それは大きな問題ではない。かつてのアメリカの象徴ともいえる自動車は、ヨーロッパで生まれたものだし、鉄鋼業はヨーロッパのコピーだったが、だからといってアメリカ人の業績を否定する人はいないだろう。アメリカ文明の象徴である電化製品にしろ、電気の原理はたいていヨーロッパで発見されたものである。

重要なのは、「誰が造り、普及させているか」ということなのである。

たった一〇年で消え失せたソ連の自信

そして、こういう商品に囲まれて暮らしている日本人に、諸外国の人々は憧れの眼差しを向けていると言っても、けっしてオーバーではない。

いまから数年前に、ある学会に出席するためにハンガリーのブダペストに行ったことがある。ブダペストにたまたま、私の娘の同級生が音楽の勉強で留学していたので、私たち夫妻はそのお嬢さんを招いて一緒に食事をすることにした。ブダペストでの生活をいろいろと聞いているうちに、何気なく「ハンガリーの学生たちは日本のことをどう思っているのかな」と私が尋ねたところ、彼女はすぐさま、「天国ですね」と答えた。

「えっ」と聞き返すと、「日本は天国だと彼らは思っています。ハンガリーの若者たちが欲しが

っているものは、みんな日本製品ですから」と教えてくれたのであった。

なるほど考えてみると、若者が欲しがるVTRやウォークマンやステレオ・ラジカセや電卓などは、みな日本が安く、しかも大量に造っている。そんな商品が氾濫《はんらん》している日本は天国に見えるに違いない。

しかし、この話にはもうひとつ、もっと重要な意味が含まれているのに、私はやがて気づいた。

アメリカ製の商品が十九世紀末から一九八〇年代までの世界のライフ・スタイルを決めたと述べたが、じつはこれらの商品は、すべてソ連・東欧圏でも造ることができたということである。

わずか十数年前の一九七九年、ブレジネフとカーターの首脳会談のことを、今でも私は鮮やかに思い起こすことができる。あのとき、ブレジネフ書記長は自信満々にそっくり返って会談に臨《のぞ》んでいた。これと対照的に、カーター大統領はいかにも小さく見えた。

ブレジネフにしてみれば、アメリカ人ができることで、ソ連ができないことは何もないのだから、どこにも卑屈になる必要はなかったであろう。ソ連は、ステレオも映画もテレビも造ることができた。こういった民生品の品質は、まだ西側のものに劣っていたにせよ、製造できないものはないから、そのうち追いつき、追い越せると思っていた。無論、軍用機やロケットや地上軍では、アメリカに勝《まさ》る点もあったのである。

これに対して、カーター大統領のアメリカはベトナム後遺症に悩んでいたし、アメリカの産業は、自動車や鉄鋼などガタガタの状況であったから、顔色が冴《さ》えなくとも当然だった。

ところが、あれほど自信満々としていたソ連そして東欧圏が、それからわずか一〇年あまりで崩壊してしまったのは、なぜだろうか。

"ASEANショック"がソ連国民を動かした

それは、根本的にはソ連・東欧が、日本発のハイテク商品を模倣するのに失敗したためだと考えられる。

西側世界のテクノロジーのリーダーが、オイル・ショック克服のあとにアメリカから日本に代わったとき、ソ連・東欧圏は日本のテンポに追いつくことができなかった。日本が次々と生みだす新製品を、東側はまったくコピーすることができなかったのである。

やがて、日本製品はソ連・東欧圏に流れ込むようになった。それらの製品は、小型で正確で故障もせず、性能の高いものばかりであった。

このようなものを自分たちが造れる可能性は、まったくなくなっていたから、それらを魔法のように大量に生産する日本は、まさにソ連・東欧圏の青年にとって、別世界の天国のように見えたのも当然の話である。敗戦直後の日本人青年がアメリカ製の車などを見たときの気分のような

ものである。

だが、それでも彼らには、心理的にまだ余裕があった。

なぜなら、彼らは日本に、一種特別な国という印象を持っていたからだ。

何といっても、彼らにとって日本とは、あのロシア帝国を日露戦争で破った国なのである。その極東の国が目立つことをまたやって見せても、「あの国ならやりかねない」という一言で片づけてしまうことができる。

ところが日本の技術教育を受けたNIES、ASEAN諸国からもハイテク製品が入るようになってから、状況は一転した。特に、ASEAN諸国から製品が入ってきだしたときに、彼らは恐怖心に襲われたのである。

ソ連・東欧圏は、アジア系の人々も暮らしているものの、完全な白人主導型社会であり、西側よりも人種偏見が素朴なままで残っている。イスラム教徒やアジア系少数民族への迫害の実態は、ソ連崩壊以後、堰《せき》を切ったように報じられているから、ご承知の方も多いと思う。

その意味で、彼らの世界観には、かつてのアメリカや西欧人たちが持っていた「素朴な進化論的迷信」が残っていた。

彼らの漠然《ばくぜん》たる印象では、白人こそが最も進化したものであり、黄色人種、褐色人種、黒色人種というような順番があったようである。だから、日本人やNIESのような黄色人種がハイテ

ク製品を造るのは、まだ理解ができた。

ところがASEANの国からハイテク製品が入ったとなると、これは彼らの素朴な進化論では理解を超えた事件である。

ASEANの国々はつい最近まで熱帯の植民地であって、その住民は奴隷同様に扱われていた。肌の色も濃い。しかも、その工場のある島にはオランウータンさえ住んでいるというではないか！

オランウータンの住む島で造れるものが、自分たちにはまったく造れないという事実ほど、彼らの自我を揺さぶるものはなかったであろう。アジアの熱帯植民地人だった人たちも、自分たちを置き去りにして進んでしまったという実感が、彼らを苛立《いらだ》たせ、また、背中の冷える思いをさせたのである。

民心を失ったソ連共産党の悲劇

しかも、こうしたハイテク製品は日常品であって、毎日見るものである。毎日のように日本やNIES、ASEANからのハイテク製品を見たり、触ったりしながら、白人優位＝ソ連優位＝共産主義優位の考えを変えない人というのは、よほど鈍感な人間であろう。

何度でも強調したいが、情報を聞いただけで人生観や価値観を変える人は、ほとんどいない。

自分の目で見ないかぎり、考えは変わるものではない。「見る」ということほど、強いものはないのである。

まさに、ソ連・東欧圏の人々は日常品を「見る」ことによって、変わってしまった。日本のような優れた製品を造れないのに、権力だけは振りかざすような政府を、国民が許しておくはずはない。

ソ連共産党のピンチ・ヒッターとしてゴルバチョフが登場したころには、すでに日本のハイテク製品は数多く入りこんでいた。もはやソ連国民は共産党を信用しないようになっていた。小さな電卓ひとつ造れないような共産主義を、どうして信用できるであろうか。

ゴルバチョフは、ソ連・東欧圏の弱体のもとは、どうやら情報産業にあるのではないかと見て、グラスノスチ（情報公開）を行ない、ペレストロイカ（改革）などと言いだしたのだが、これは、ソ連の指導部が民心を失いはじめていたことの表明以外の何物でもない。

そして、指導部が完全に弱腰になり、かつてのように暴力によって弾圧することができなくなったことを見てとったソ連・東欧圏の不満勢力は、ベルリンの壁を壊し、東側全体の民主化を始めだしたのである。

その結果、最後にはソ連自体も解体してしまったのは、ご承知のとおりである。

私は前著『日はまだ昇る』（祥伝社刊）の中で、「鉄腕アトムがベルリンの壁を壊した」という

言い方をしたが、それは、以上のようなプロセスを踏まえたものであった。

冷戦終結は日本の功績

もちろん、ソ連の崩壊については、日本だけの功績ではない。

その前提条件として、アメリカが軍事的に対立姿勢を維持しつづけなければ、このような形でソ連が崩壊するには、まだ時間がかかったであろう。

その意味で、ジョージ・ケナンが提唱した「封じこめ政策」（左欄外注）の歴史的意義は忘れてはなるまい。彼は今から四五年も前に、ソ連を封じこめてしまえば、アメリカは最終的に勝つと予言していたのであるから。

ちなみに、「フォーリン・アフェアズ」という国際問題専門誌ではじめて発表された、このケナンの政策プランを読んで、私自身、大変な感激を憶《おぼ》えたものである。私は上智大学で英語教師になったばかりの年に、この論文を経済学部一年生の英語の授業でテキストに用いた記憶があ

●**封じこめ政策**――外交官で、ソ連問題の専門家であったケナンが、一九四七年に発表。ソ連の周辺諸国にアメリカが援助し、ソ連を封じ込めれば、その政権はやがて融《と》けてなくなる（メルト・ダウン）か、崩壊すると予言。アメリカの対ソ政策の基本となった。

る。

　だから、ベルリンの壁が崩壊する前後に、アメリカのテレビでケナンを久しぶりに見たときには、個人的にも深い感慨を憶えた。

　しかし、ジョージ・ケナンの封じこめ政策をアメリカが採り続けたとしても、日本の存在なしで、ソ連が九〇年代に崩壊したかといえば、そうは思えない。

　実際、日本が世界のトップに立つまでの米ソ関係は、長らく膠着《こうちゃく》状態にあった。この膠着状態は、日本なしでは二十一世紀に入っても解消されなかったであろう。

　カーター大統領（在任一九七七〜八一年）のころのアメリカは、すでにその産業は凋落《ちょうらく》の姿を見せていた。

　たとえば、アメリカのシンボル的産業である自動車も、その品質管理は悪くなるばかりだった。勢いよく閉めたら、新車のドアが外《はず》れてしまったとか、走っていると変な音がするので調べてみると、ボディの中にコカ・コーラの瓶《びん》が入っていたなどという話が、不思議に思われないようなところまで、信用は墜《お》ちていた。

　また、基幹産業の鉄鋼業も成り立たなくなっていた。造船業は、すでに消えていた。

　これが現在のように再び復活したのは、日本があったからこそである。

　鉄鋼業は日本の資本と技術を導入することで、息を吹き返した。また、自動車業界が活気を取

り戻したのは、日本を見て競争心を奮《ふる》い立たせたからであり、さらに日本のロボットによる生産技術や経営方法を大幅に採り入れたからである。

日本がなかったら、アメリカの産業もソ連・東欧圏同様の降下路線をたどったということは充分に考えられる。

日本がなかったら、ソ連の国民は有色人種が造ったハイテク製品を見て、自信を失うこともなかったであろう。まだまだ共産圏は裸の王様でいられたに違いない。

「コスト計算」に敗れたアメリカの技術

このような指摘に対しては、「いや、まだまだアメリカの技術力に日本は追いついていない」という異論もあるだろう。

日本でもベストセラーになった『日はまた沈む』（草思社刊）の著者ビル・エモット氏も、ある雑誌で、「日本の技術は本当は大したことはない」という趣旨のことを言っている。エモット氏の論旨に、ひじょうに鋭い部分があることは認めるが、とくにハイテク技術に関する観察は、ずいぶん甘いように思われる。

たしかにソ連にもアメリカにも、日本の及ばない技術はある。

日本はまだ、自力で宇宙に人を送ったことはない。これに対して、ソ連は解体しつつあった、

そのさなかでも有人ロケットを打ち上げている。宇宙の分野においては、もし日本が米ソのように本気で宇宙開発に乗り出したとしても、追いつくにはもう少し時間がかかりそうであるし、追い抜くためには相当な時間が必要と思われる。

ところが、こういった技術の最大の特徴は、コストを計算しなくてもいい点にある。民間の放送衛星を打ち上げるのならいざ知らず、宇宙に人を送りこむということは、現時点において「利益」はほとんどゼロに近い。それゆえ、コスト計算は、やってもまったく意味がない。

それでも、かつてはコスト計算を念頭に置かず、湯水のように金を使う宇宙工学や軍事工学のほうが、コスト計算に明け暮れる民生用テクノロジーよりも上であるとされた時代があった。

ところが面白いことに、ここでもパラドックスが起きた。

コストを計算しないでどんどん進めた宇宙・軍事技術より、コストという枠《わく》の中で激烈な競争をしつづけた民間の技術のほうが、多くの点で高いレベルに到達しはじめたのである。この傾向は、八〇年代末ごろから現われ、九〇年代には明確になった。

八〇年代までは、軍事の高い技術が民間に下《お》りてくるのを、「スピン・オフ」と言った。今は民間の高い技術が軍事・宇宙技術に上がっていくので、「スピン・オン」という言葉が使われている。

▲▶コスト計算をしないで予算を注ぎこんだ米ソの巨大プロジェクトは、結局、コストを重視した日本のハイテク産業に技術面で追い抜かれてしまうという〝歴史の逆説《パラドックス》〟を味わった(上写真・日本のハイテク無人工場)

先の湾岸戦争では、ロケットの姿勢制御に使うコンピュータ・チップなど、武器の要《かなめ》になるような部品は、ほとんどすべて日本製であったことが、アメリカ政府の報告書にも出るようになったのは、まさにこのパラドックスを示している。

振り返ってみれば、第二次大戦後の世界は、すべて日本の敗戦によって惹《ひ》き起こされたパラドックスによって動いてきたと言えよう。

日本の敗戦が引き金となり、有色人種は植民地から解放され、人種差別は消えてなくなりつつある。

また、コスト計算を度外視して軍拡競争に明け暮れてきた米ソ両大国が、コスト計算をこつこつ続けてきた日本の民需産業に敗れた。しかも、そのハイテク製品が、ソ連・東欧圏の崩壊の実質的原因となったわけである。

これが日本の敗戦という名の逆説《パラドックス》でなくして、何であろうか。

第六章

日本の文明が、地球を包む

――「日本の時代」は、これから始まるという根拠

(1)工作機械を制する国が世界を制す

軍事技術先端国だった戦前の日本

すでに述べたとおり、日露戦争で日本が勝ったことにより、世界史の流れが変わりだした。

そして、その勝因として、海軍においては英国製のすぐれた軍艦を購入したこと、下瀬《しもせ》火薬の採用、そして陸軍においては秋山好古《あきやまよしふる》将軍が騎兵に機関銃を持たせるという新戦法を開発したことが大きかったというのも、すでに指摘したとおりである。

ただ、ここで認めなければならないのは、下瀬火薬以外の二つの勝因は、舶来の技術に由来しているという事実である。戦艦はイギリス製、機関銃もイギリス製であった。この当時の日本は、頭脳こそ自前であったが、重要な兵器は外国製に負《お》っていた。

これに比して、第二次大戦の場合は、戦艦大和《やまと》も零《ゼロ》戦もすべて日本製であった。日露戦争から三十数年で、日本は自国製の兵器で人類の最終戦争に突入したのである。

しかも、その零戦は開発当時、世界中のどこの国の戦闘機をも画然《かくぜん》と引き離す性能を持った戦

闘機であり、また、戦艦大和のような超巨大戦艦を造れるような国は、せいぜいアメリカぐらいのものであったが、彼らはまだ造っていなかったし、その後もこれを超える大戦艦は造られていない。つまり、軍事技術の面で、日本が当時の先端を走っていたことは間違いない。

だが、ここで問題なのは、兵器こそ自国の工場で造ったが、その兵器を造るための機械、すなわち工作機械を全面国産化するには至っていなかった、ということである。いい工作機械は、アメリカ製かヨーロッパ製であった。

工作機械は、一般の人間には馴染《なじ》みの薄い存在で、そのため、つい軽視しがちな面がある。だが、産業の現場においては、これほど重要なファクターはない。

たとえば、鋼板を切るという基本的な作業にしても、誤差が大きくては飛行機は組み立てられなくなる。かりに組み立てられたとしても、それは思いどおりには飛ばないだろうし、あるいは空中分解してしまうかもしれない。

テクノロジーの分野において、いかなる高度なアイデアや技術があっても、それを正確に製造する技術がなければ、意味をなさないのである。

工作機械の差が敗戦を導《みちび》いた

日本はたしかに零戦という最先端の戦闘機を開発し、それによって緒戦はことごとくアメリカ

やイギリスに圧勝した。零戦の行くところ、敵はなかった。

この時代の戦争は、まさに戦闘機の優劣で決まった。まず戦闘機で勝利し、制空権を獲得すれば、あとはいくらでも爆撃機も出せるし、また艦隊も進める。逆に、戦闘機で勝てなければ、もうなす術《すべ》はないのである。戦争初期、日本軍があっという間に東南アジアを制圧したのは、戦闘機が優秀だったからに外《ほか》ならない。

だが、戦争が進むにつれ、日本の優勢はゆらいでいった。それはアメリカが零戦を研究しつくし、その弱点を知り、いくつかの点では零戦以上の戦闘機（グラマン・ヘルキャット）を開発したからであった。

戦争も後半になると、零戦はその栄光を失い、アメリカにとっては格好の獲物になった。「マリアナの七面鳥撃ち」という言葉がアメリカの戦闘機乗りのあいだで流行したというが、まさに零戦は七面鳥なみになったのである。かくもやすやすと撃ち落とされなければならなかった。これら日本兵のことを思うと今も胸が痛む。

しかし、日本も零戦を超える新鋭機を次から次へと開発して投入すれば、このような悲劇を起こさずにすんだのである。

それは海軍首脳部も知ってはいた。そのために、紫電改《しでんかい》という新型戦闘機の開発もした。だが、それを大量に生産し、戦場に投入することに失敗したのは、工作機械が自前でできなかった

ために、思うように生産が捗《はかど》らなかったことが大きな理由だった。

これに対して、アメリカが物量作戦を採って、無数とも言える新鋭機を投入できたのも、世界で最も優れた工作機械によって、効率よく大量生産できたからであった。

結局、戦争で勝とうと思えば、戦闘機で勝たねばならず、また、その戦闘機生産で勝とうと思えば、工作機械で勝たねばならぬということを、第二次大戦は教えたのである。

製造業の「急所」を握った現代日本

工作機械においてアメリカ優位というこの図式は、第二次大戦後も長らく続いた。日本の製造業も、長く工作機械はアメリカなどからの輸入に頼っていた。

戦後の日本がいかに製造業に力を入れ、アメリカに輸出攻勢をかけても、その大本の工作機械はアメリカ製なのだから、アメリカはその急所を握っていたことになる。ここに、アメリカが世界のトップ・ランナーとして走ってこれた成功の秘密があった。また、戦後のヨーロッパでドイツ経済が飛び抜けて強い理由も、これであった。

ところがオイル・ショック以降、ハイテク革命に先頭を切った日本は、ついに工作機械でも先頭を切るようになった。それどころか、ある日気がついてみると、アメリカの工作機械の約七〇パーセントが日本の製品になっていた。

これを知ったレーガン大統領は政治的圧力をかけたが、それも工作機械を日本製に制圧されては勝ち目がないということを知っていたからに外ならない。しかし、実際に優れた工作機械は日本しか造りえないから、アメリカとて、この先、製造業を続けようと思えば、日本の工作機械を輸入しないわけにはいかない。

すでにわれわれは、世界市場において工作機械をも制したのである。

製造業のいわば「急所」を日本が握ったというこの事実は、この先当分、世界のテクノロジーの中心が日本でありつづけるということの保証にもなるであろう。

今や、日本人同士が競う時代

昨年（一九九一年）、たまたまロサンゼルスで講演する機会があった。

その講演後、ロサンゼルスで大手の印刷会社を経営している知人にお会いした。

このときの講演で、私は「日本の経済はまだまだ伸びるであろう」という話をしていたのだが、彼は大いに賛成してくれ、こう語ってくれた。

「私の会社でも、つい数年前までは、印刷機械はみなドイツ製の最高とされるものを使っていました。

しかし、今ではドイツ製はただ一台だけ、ハイデルベルクという機械が残してあるだけです。

それも、性能がいいから置いてあるのではなくて、長く使ってきたというセンチメンタルな気分で残しているだけです。

実際に使っているのは、全部、日本の機械になりました。もちろん、性能が最高だからです。ところが、そればかりではないのです。

上質の印刷をしようと思えば、紙やインキにもこだわることになるのですが、最近は日本の紙を使わざるをえなくなっています。インキも日本のインキを入れています。

ふと気がついてみると、自分のところにセールスに来ているのは、印刷機械であれ、紙であれ、インキであれ、全部日本の会社同士が競争している。他の国の競争者はすべて消えてしまったのです」

専門家の定義はさておき、印刷機械も工作機械が造るのである。

たしか一〇年ぐらい前は、印刷機械はドイツ製が最高という話をよく聞いた記憶がある。しかし、それは古い常識になってしまったのである。

また織物機械においても、外国製の機械を持っていることを自慢する経営者が、つい十数年前までは、まだいたようにも記憶している。ところが、今ではこれも、日本製に代わってしまったと聞く。いまだに、外国製の織物機械など自慢するようならば、その会社は遠からず危機に直面することは確実であろう。

職人芸に頼る危険

このような事実に気がつき、工作機械は今や日本がトップになったことを知って以来、私はこの方面から経済を見るようになった。

そして、この観点から、ヨーロッパの高級車はそのうち日本車に追いつかれるであろうと、数年前から主張するようになった。だが、当時はまだ、大衆車ならいざ知らず、ヨーロッパ車にかなう高級車を造れるわけはないという人のほうが、絶対多数であった。

私がそういう推論を立てた出発点は、ドイツなどヨーロッパの名車と言われるものは、みな手づくりであることを自慢していることにあった。

手づくりでいい車が出来るということは、優れた職人芸があるということだ。

だが、いかに優れた職人であろうと、前の晩に夫婦喧嘩《げんか》をし、いやな気分で職場に出てくる日もあるだろう。そうすれば、人間であるから、微小なところが狂ってくることも大いにありうるのではないか。

しかし、それよりもっと重要なことは、こういう職人たちの次の世代はどうなるのか、ということである。ずっと長い目で見れば、職人の世界も昔に比べれば、技術が向上していったことは認められる。だが、次の世代の職人が、かならず師のレベルを超えてくれるということを期待してはいけないと思う。せいぜい、何年も何十年もかかって、ようやく先代と同じ程度の技量に達

する弟子も出る、というものではないだろうか。

そう思えば、職人に頼っている以上、欧州の名車が毎年よくなっていくということは、あまり望めまい。むしろ、すでに極限に達していると見たほうが、現実に近い。

これに対して、日本車は大量にロボットを投入して造る。ロボットはその本質上、日進月歩である。したがって、日本の車の諸性能は向上する一方であるから、極限に達して停滞しているヨーロッパの名車を超える日は遠くはないだろう。

たいへん素朴な推論かもしれないが、このようなことを私は主張してきた。

それが昨年あたりから、明確に出てきたように思う。

完全勝利目前の日本自動車業界

私の学会を通じての知人の一人に、アメリカ人の金持ちがいる。彼は、熱狂的なカー・マニアであり、フェラーリを二台も持っているような人物である。奥さんも、それに影響されてかベンツを持っていた。

ところが昨年（一九九一年）、パリで開かれた学会で会って話していると、彼のほうから、

「フェラーリはどうも故障が多くてだめだ。ホンダのNSXが一番いい。いまはNSXのファンです」

と言い出したのである。

彼の奥さんも、

「私もベンツを持っていたけれど、エンジンはやかましいし、故障が多い。トヨタのレクサス（日本名・セルシオ）に代《か》えました」

という話であった。

世界中からいろいろな車が集まり、激戦区となっているアメリカの市場で、しかも車を買うカネにこだわらないマニアが、自分の目で選んだ結果、欧州車から日本車に切り換えたということを聞き、私は「勝負はついたな」という思いを得たのである。

またオイル・ダラーで金持ちの多い中近東でも、日本の自動車がヨーロッパの名車に代わりつつあるとも聞いた。

その理由はひじょうに簡単で、日本車は故障が少ないということによるものらしい。

金満国のアラブでも、さすがに欧州車のサービス工場は少ないらしく、故障してしまうと修繕に手間がかかる。日本車はその点、故障自体が皆無に近いから、誰でもそれを選びたがる。しかも、その性能は欧州車にまったく劣らない。また、その値段においても、圧倒的に有利である。

高級車の市場として、日本を除けば最大と思われるアメリカと中近東で、日本は勝利を得つつある。われわれは大衆車の分野で、すでにアメリカ車を抜き去ってしまっているのだから、日本

の自動車産業の完全勝利ということになる。

成功を恥じる必要は、どこにもない

もちろん、日本人の中にも「こんなに一人勝ちしていいのか」という反省を抱く人がいるのは事実である。最近では、日本の経営者の中からも、これからは安くていい商品を造るのは、他の国に任《まか》せてはどうかという意見もある。

しかし、安価で良質の製品を造ることを否定するというのは、いかがなものだろうか。

「安くて良質」ということを悪であると考えることは、「正直で親切なのは悪徳である」と言っているのに等《ひと》しいのではないか。私はそこまで道徳的に堕落する必要はないと思う。

もしも、諸外国の企業が、日本の成功によって経営が圧迫されたと感じるならば、それは自分たちに問題があると考えるべきで、日本の責任に転嫁するのは筋違いの結論である。

しかも、日本に文句を言っている欧米では、日本よりはるかに寡占《かせん》状況が進んでいることを指摘することを忘れてはなるまい。

たとえば、ヨーロッパの電機メーカーは、オランダにフィリップス、ドイツにジーメンス、フランスにトムソンがある以外に、われわれが名前を知っているようなところは、まずない。

車でも、イタリアのフィアット、フランスのプジョーとルノーなど、日本に文句を言っている

国は、一、二社が独占し、しかも、国が経営に加わっているものもある。ドイツだけが、何社もの自動車メーカーがあるが、だからこそドイツの車は市場において強いのである。

日本はすべて多社競争なのだ。独占・寡占で安楽に暮らしている国の真似をする必要がどこにあろうか。彼らのほうが、日本の爪の垢《あか》を煎《せん》じて飲むべきなのだ。

それでもなお自分たちのやり方を疑わず、続けて行くのなら、それもひとつの選択であろう。だが、その場合、もし敗れたとしても、自らの誤算を潔《いさぎよ》く認めるのが、自由な国の経済人のルールではないかと、私は考える。

だから、われわれは誰に対しても、後ろめたい思いを感ずる必要はないのである。

もちろん、日本の企業も唯我独尊《ゆいがどくそん》になる必要はない。日本の長所を認める相手と技術提携を結ぶということは、ますます盛んになってほしいと願っている。

かつての日本も、欧米先進国に追いつくために、同じように海外企業と提携させてもらい、技術協力を受けさせてもらった。これは、いくら感謝しても感謝しきれない歴史的事実であるからだ。しかも、日本は外国人の師に対して、特別に感謝の念を抱き、これを表明しつづけるという伝統があるが、これは今後も大切にしていくべきであろう。

(2) 〝歴史の法則〟が示す日本の繁栄

印象批評にすぎない悲観論

日本は安くて良質な商品を造るのをやめようという議論は、暗黙の了解として、それでも日本の繁栄はまだまだ続くということを認めたうえでのものだと思うが、その繁栄の永続性自体に疑いを持つ人が、日本人の中にもずいぶん現われてきた。

日本の繁栄は、終わるのではないかという意見は、ことに昨年（一九九一年）、株式市場や地価が低迷しだしてから、多くなってきた。

しかし、これらの意見は結局、景気の一時的後退という悲観的ムードから導《みちび》きだされた、一種の印象批評でしかないと思われる。

なぜなら、日本の繁栄が終わるという推定は、「では、次にどの国が日本に取って代わるのか」という予測とワン・セットになって考えられるべきであるのに、そこまできちんと触れた話はまったくない。日本の経済力を多かれ少なかれ、世界が頼りにし、日本なしでは世界経済、とくに

アジアの経済が進展しないとされる状況に世界が置かれているのは、誰でも認めるところだろう。

ここで、日本の代わりとなるべき国家が現われずに、日本が没落するというのであれば、世界はどうなるのか。ようやく白人先進国と競争できるという自信を持ちはじめた有色人種の国々の産業はどうなるのか。

やはり、日本の繁栄が終わるというのであれば、具体的にどの国が日本を凌《しの》ぎ、いかにして日本はその繁栄に終止符を打つのかを検討せねばならないと思う。

日本の繁栄を奪う国は、あるのか

まず、G7（先進七カ国蔵相会議）などに集まる先進国はどうか。

アメリカを筆頭に、これらの国々は、みなそれぞれに経済的課題を抱えて深刻な状態にあるといってよい。その悩みはいずれも根源的なものであり、むしろ日本に協力を求める立場である。

これらの国が急に復活して日本の繁栄を奪うということは、まず考えられまい。日本の繁栄が終わるとしても、これらの先進国のほうが日本より早く舞台から降りている、という可能性のほうが高いように思われる。

ましてや、共産圏・社会主義圏の国家はこれから奈落《ならく》の底へ落ちようとしているのであり、こ

ういった国に未来を見ることはむずかしいであろう。同じように、近い将来において中南米諸国に期待をかけることも、無理であろう。

最も明るい未来を持つ国々の候補として残りそうなのは、NIESやASEAN（東南アジア諸国連合）などのアジア諸国であろうかと思われる。たしかに繁栄し、活力に満ちた国々が多いのは認めなければならない。

しかし、彼らは言ってみれば、まだ「日本という親亀の上に乗った子亀」に過ぎない。

その技術や経営戦略はみな日本をモデルにしている段階にとどまっているし、また、日本の技術と資金投下がまだまだ必要と見られている。いま日本が倒れるなら、この東南アジアの国々も連鎖的に倒れてしまうのは、明らかである。

この先も、アジア諸国は日本経済を先頭にして雁行《がんこう》していくことしか選択の余地はないであろうし、その中から日本を追い抜く国が出てくるのを期待するのは、見通しうる将来においては、やはり無理というものだろう。

「日本の寿命・二五年説」の盲点

だが、それでも、

「日本の繁栄が、文字どおり永遠に続くわけではなかろう。過去の歴史を見ても、どの文明も最

後には倒れたではないか。日本の繁栄もそう遠くないうちに命運が尽きてしまうのではないか」という指摘をなす人もあるだろう。

ある人たちは、この観点から日本の寿命を「保《も》って、あと十数年」と推定する。その根拠は、次のようなものである。

「イギリスの時代」と言われたのは一〇〇年間であった。だいたいナポレオン戦争（十九世紀初頭）終了のころから第一次大戦（一九一四年勃発）までが、イギリスの時代であった。

そして、この第一次大戦の終了後から一九八〇年代前半ごろまでは「アメリカの時代」で、これは約五〇年続いた。

一〇〇年、五〇年と来たから、次は等比級数的に言えば、五〇年の半分の二五年間が「日本の時代」の持ち時間であろう。しかも八〇年代から日本の繁栄が始まったとすると、すでに十数年は経っていることになるから、残された時間はせいぜい十数年ではないか。

一見、これは説得力ある推定のように見える。しかし、これは推定の根拠がそもそも間違っている。

イギリスとアメリカという二つの国家は、たしかに並べて扱うことができる。しかし、これに日本まで含めてしまうのは、乱暴な議論であろう。

何度も言うように、イギリスやアメリカは、四〇〇年以上続いてきた白人優位という歴史の流

れの中で登場してきた国家である。

この流れを振り返ってみれば、コロンブスの新大陸発見に始まり、大航海時代、フランスの繁栄の時代と来て、イギリスそしてアメリカと続く、いわば白人内部でのバトンの受渡しと言うことができる。

だから、「イギリスの時代」とか「アメリカの時代」という呼び方は正確ではなく、実際には「白人の時代」とでも言うべき時代があったと見るのが正しいであろう。イギリスやアメリカの時代というのは、その中の小区分と見るべきなのである。

また、ファウスト的精神を持つ近世以降の白人文明が、西へ西へと進んでアメリカに至ったと見るべきであり、一方、東へ東へと向かったのがソ連帝国主義となったと見るべきなのである。

歴史は数世紀の単位で動く

そもそも「ローマ帝国の時代」は一〇〇〇年続いたではないか。「中華文明の時代」も、紀元前三世紀の秦《しん》・漢《かん》から十世紀すぎの隋《ずい》・唐《とう》までの長きに及んだ。

このような文明と、「イギリスの時代」や「アメリカの時代」を同じ土俵で考えては、議論の出発点から誤ってしまうことになるだろう。

その点、これらを「白人の時代」として統合するなら、これは九世紀に白人（ゲルマン民族）

を最初に統合したシャルルマーニュ（カール大帝）から始まることになり、一〇〇〇年のスケールになって、ローマ帝国の時代と比較することが可能になる。これが長すぎるとしても、コロンブスの時代からでも五〇〇年間という単位であるのは間違いない。

あくまでも歴史というのは、数世紀の単位で流れる大河のようなものであり、一〇年単位で軽軽に動くものではない。

もちろんその中では、イギリスやアメリカが繁栄したりするような出来事は起こるものの、すべてはこの大きな流れの中で起きているにすぎないのである。

これは、歴史に興味を持っている人なら、誰でも納得していただける真理であろうと思う。

そして、この「白人の時代」の流れをまったく別な方向に変えてしまったのが、日本という有色人種の国家であったことを、もう一度強調したいと思う。

日露戦争以後、歴史はまったく新しいフェーズ（局面）に入った。

そしてこのフェーズが、少なくとも数世紀は続いていくと期待しうるものであることは、過去の歴史が教えている。

この観点に立脚すれば、日本の繁栄をイギリスやアメリカの繁栄から類推することが、いかに皮相的なものであるかが理解されるであろう。

◉歴史を変えた日露戦争

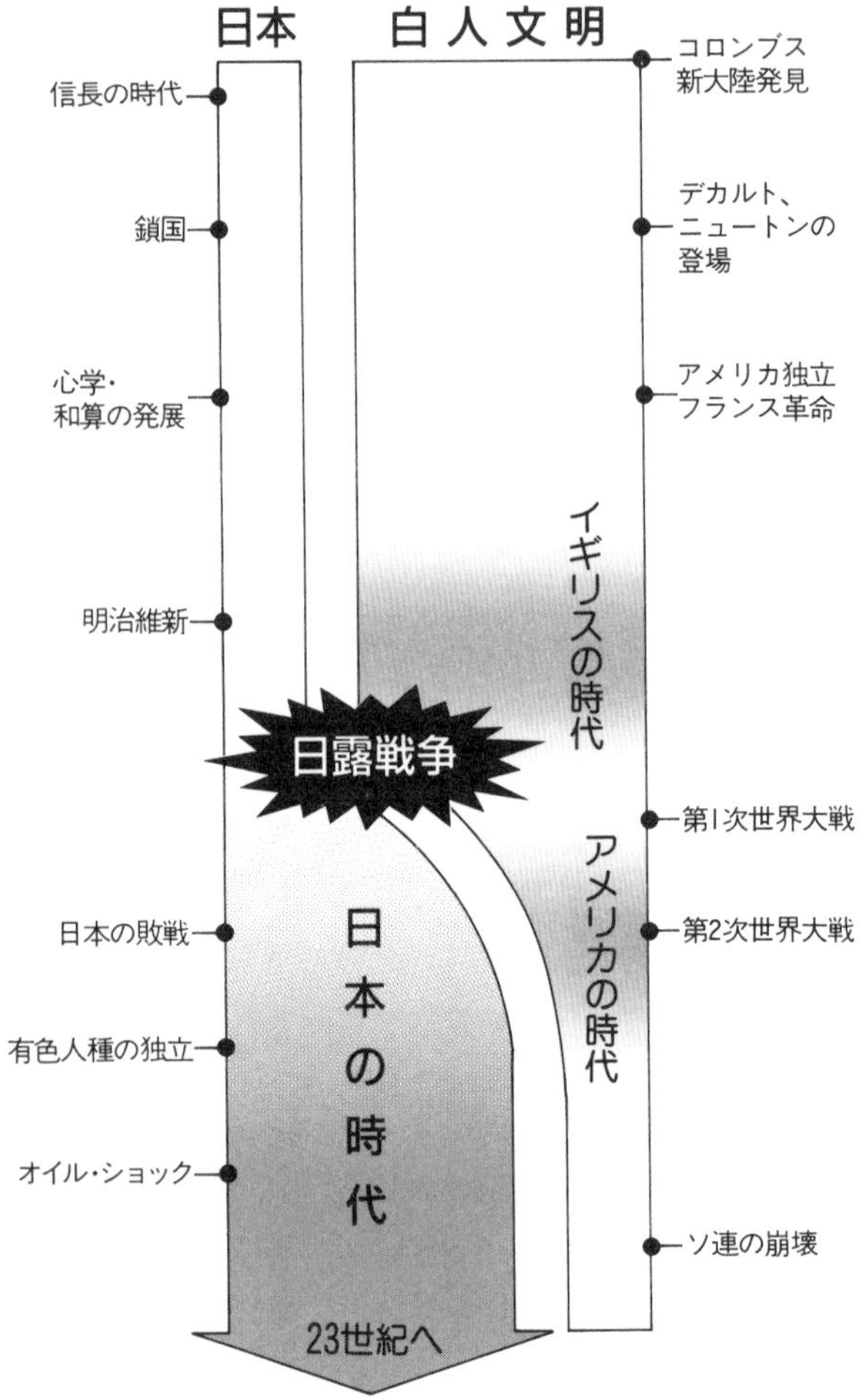
日本
白人文明
信長の時代
鎖国
心学・
和算の発展
明治維新
日露戦争
日本の敗戦
有色人種の独立
オイル・ショック
日本の時代
23世紀へ
コロンブス
新大陸発見
デカルト、
ニュートンの
登場
アメリカ独立
フランス革命
イギリスの時代
第1次世界大戦
第2次世界大戦
アメリカの時代
ソ連の崩壊

これからが〝真の始まり〟

また、日本はその新時代のスタートにおいて、主人公となるべき運命を与えられた。この主人公が、まだろくに幕も開かぬうちに退場するというようなことがあるだろうか。

過去の歴史で言えば、二十世紀の日本はコロンブスが新大陸を発見し、白人たちが発展のスタートを切ったのと同じ段階に立っていたのだ。

実際、まさに開始早々の時期であったからこそ、混乱が起こり、一時的に挫折したかのようなこと、つまり第二次大戦での敗北も経験したと言えるだろう。

しかし、やはり歴史の大きな流れの上に日本は立っていたのである。

あの敗戦を乗り越え、一九八〇年代に入って日本は、いくつかの重要な指標において世界のトップに立った。

むしろ、今まさに発展の端緒《たんちょ》を迎えたというべきであって、あと数十年で繁栄が終わるというのは、歴史の読み間違いをしているとしか思えないというのが、私の実感である。

そして、日本の繁栄はこれから数世紀の単位で続かねば、おかしいとさえ思うのである。

そこで私は、二五年という通説の一〇倍、すなわち二五〇年ぐらいは日本の時代が続くのではないか、という仮説を読者に提示したいと思う。

この二五〇年というのは、夢のような数字に聞こえるかもしれない。

だが、この数字はけっして勝手にでっち上げたものではなく、過去の歴史から冷静に割り出されたものであることは、すでに読者がお読みになったとおりである。

序章において述べたように、ぼんやりとした虹の懸《か》け橋でも、それがどこに向かって伸びているかは、遠距離から正しく虹を見ている者には推測可能なのである。

歴史という虹の懸け橋の行方も、その全体像を摑《つか》むことさえできれば、その未来は充分予測できると信ずる。そして、その行き先を示唆することこそ、歴史を語る者の使命であると私は信じたい。

(3)すでに始まっている世界の「日本化」

日本料理は、世界食になりうるか

では、「日本の時代」とは、具体的にどのような時代であろうか。

少なくとも、現時点のように経済面だけで日本がトップに立つのではなく、政治、芸術、自然科学など、あらゆる面において世界をリードする存在になることを意味する。

とはいえ、具体的なことは途方《とほう》もない話で見当《けんとう》もつかないという読者も多いであろう。

そこで、過去の歴史を踏まえながら、私なりの予想をいくつか述べ、「日本の時代」に何が起こるかを語っていきたい。

まず、卑近なところで、日本料理が今後、どのようにして普及していくかということを考えて、日本の時代を予想する手がかりにしてみよう。

と言っても、いま、アメリカの西海岸の都市やニューヨークで流行《はや》っている「スシ・バー」のことを連想するのは、すこし早計であろう。

私も何度かそのような店に足を踏み入れた経験があるが、そこでアメリカ人が食べている動機は、まだ「珍しいから」とか「ダイエットにいいから」というものであって、われわれがタイ料理やメキシコ料理を食べる感覚と、あまり違わない。

まだ日本食は、単なるエスニック・フーズ（民族料理）の一種に過ぎず、真に世界の料理文化の一角を占めたとは言いがたい。

やはり、現在のわれわれが、しょっちゅう自宅でも中華料理や洋食のメニューを食べるように、毎日食べてもいいと思われるほどにならなければ、世界食とは言えない。現在のような、スシやテンプラだけが普及している状況では、毎日、自宅で食べてもいいと思う人はいまい。

「仰《あお》ぎ見られる」ことの意味

では、ある食文化がローカルなもので終わるか、それともグローバルなものになるかを決定する要素とは、何であろうか。

上品で、旨《うま》くてバリエーションがあればいい、という単純なことではないはずだ。また、独自の文化を背景にした料理であればいいというものでもない。

それならば、インド料理もアフリカ料理も、中華料理やフランス料理に、ひけは取るまい。やはり、前者と後者を分かつ、決定的な何かがあったはずである。

それは、一言で言えば、「仰《あお》ぎ見られる」ということであろう。

たとえば、ヨーロッパでフランス料理が普及したのは、「この料理を食えば、われわれもルイ十四世時代のような優雅なフランス貴族に、少しばかりは近づけるのではないか」と、みなが思ったからであった。

そんな馬鹿な、フランス料理を食えば優雅になれるというのは錯覚であると、読者は思うであろう。だが、日本でも明治維新のころには、牛鍋屋が流行《はや》り、西洋人のようになりたいと願った人々が詰めかけたではないか。

日本語には「あやかりたい」という言葉があるが、まさにフランス料理を争って食べた周辺のヨーロッパ人たちは、フランス人にあやかりたいと思っていたのである。また、文明開化の日本人は、西洋人にあやかりたいと思って牛鍋をつついた。

この心理を「低俗」であると軽蔑するのは、簡単である。

しかし、何度も本書で繰り返し書いたように、結局のところ、歴史はイデオロギーやスローガンのような抽象的なものでは動きにくく、見たり触ったりできる具体的な現実によって確実に動く。

この場合も、人々の頭の中にあったフランス文化は、抽象的なイメージで捉えられていたのではなく、具体的に、フランス料理を食べ、優美な服を着て踊るフランス人たちの姿だったのであ

▲フランス料理は、世界の人々がフランスという国を「仰《あお》ぎ見《み》た」がゆえに広まったのである（18世紀のフランスの銅版画）

る。彼らは、その具体的なイメージで、圧倒的な文化を持つフランスを理解し、フランスに憧れたのであった。

料理が仰ぎ見られる文化のしるしであることを、如実に示した映画に『バベッツ・フィースト』（邦題『バベットの晩餐会《ばんさんかい》』）というのがあった。私はロンドンでたまたま、この映画を観たが、料理こそヨーロッパ人がフランス文化の高さを具体的に感じるという点で、最も雄弁なるもののひとつであることが、よく分かる物語であった。

考えてみれば、イギリスでも高級料理はフランスということになっていて、中世の昔から、牛（オックス）、羊（シープ）、仔牛（カーフ）、鹿（デア）など、生きて牧場にいるうちは英語だが、料理されて食卓に上れば牛肉（ビーフ）、羊肉（マトン）、仔牛肉（ヴィール）、鹿肉（ヴェニスン）とフランス語になる。そして、コンノートなどのイギリスの高級ホテルでは、今でもフランス語のメニューしか出さない。

西洋料理の本場はイタリアであることを専門のシェフは知っているのだが、イタリアは近世のヨーロッパで仰ぎ見られなかったのである。

これが「仰ぎ見られる」ということの意味であり、仰ぎ見られて、はじめてその国の料理は普遍性を獲得するのである。

中華料理もまた、シナ人やシナ文化に憧れた、シナ周辺の人々が争って食べたから、広く普及

したのである。しかし、中華料理が、欧米でまだ正式の場に入れないのは、近世の欧米人がシナを「仰ぎ見る」ことがなかったからである。

現時点において、スシやテンプラなどといった日本食が、その段階に達していないのは認めざるをえないであろう。まだ、珍しさが先行し、仰ぎ見られてはいないようである。

だが、やがては日本食も、かつてのフランス料理のように普及する日がやってくるであろう。

なぜなら、日本人に憧れ、あやかりたいと願う人たちが増えてくるのは間違いないからである。

「特許世界一」が示す日本人の独創性

まず、憧れる第一の理由は、日本人が豊かであるということである。

ただし、今はまだ日本人が豊かであることを見て、それを嫉妬する国があるのは否《いな》めない。嫉妬の心があるうちは、まだ日本食は広がりにくい。

しかし、この嫉妬も、日本の繁栄が誰の目から見ても明らかになり、それがしばらく続くことによって、まもなく消えるであろうと思われる。

日本が豊かになったのは、オイル・ショック以後、とくに円高を乗り切って以後である。分かりやすく言えば、外国人労働者が日本に押しかけてくるようになってからである。今はまだ、豊

かさの差が比較的小さいから嫉妬が生まれるのであり、日本が圧倒的な立場を得、そしてしばらく持続すれば、嫉妬のしようがなくなり、憧れだけが残る。

第二に、日本人の頭脳の明晰さに対しても賞賛が集まり、「日本人のように頭がよくなりたい」と願う人が増えてくるであろう。

いまだに「日本人は発明・発見が下手で、独創性がない」という印象が、欧米のみならず日本人の中にもあるようだが、それは中年以上の人のあいだに主として残っているものである。しかし、その実態は急速に変わりつつある。

その国民の独創性を測《はか》るうえで、最も信用がおける客観データは特許の件数であろう。言うまでもなく、独創的な発明・発見でないと特許は下りない。

この特許の分野で、すでに日本はトップの座に立って久しい。これは一九八七年のデータだが、五年前の段階で日本の特許出願件数は、アメリカの二・六倍に達しているのである。これは、圧倒的な差としか言いようがない。

また、最近のアメリカのビジネス誌（Business Week 1992,8,3）のレポートによると、アメリカで特許件数のトップ・ランキングを調べたところ、第一位（東芝）から四位までは、すべて日本の企業が独占していたという。同誌は、「日本が物真似屋（Copycat）の時代は、すでに終わった」と書いているが、まことにそのとおりである。

知的所有権の問題で、アメリカ企業の日本攻勢が新聞紙上を賑《にぎ》わせているようだが、この問題もやがて収まり、知的分野でも日本の圧倒的優位が誰の目にも明らかになるであろう。だいたい、今、問題になっている特許は二〇年も前のものだったりしていることは、唐津一《からつはじめ》氏などの夙《つと》に指摘するところである。

現在のような「日本人には独創性がない」という先入観も、やがては完全に消え去ってしまうはずである。

第三に、日本の平均寿命が世界一ということである。コリアやシナは六十歳代であり、ヨーロッパ人の多くは七十歳代で、日本は男女とも八十歳代である。

誰だって、長生きはしたい。平和の時代なら、とくにそうである。

イギリスの雑誌に、こういう一節があった。

「日本のビジネス・マンたちは、最も煙草を吸い、夜遅くまで飲み、スポーツもろくにしない。それなのに、平均寿命が長いのはなぜか。それは食事がよいからだ」

日本人の食事が健康食であることは、世界的に認められてきている。

第四に、日本人は欧米人から見るとスリムなのである。

スリムなことは、今や欧米ではステイタス・シンボルだ。アフリカの人がスリムであるのは飢餓のせいであったりするが、日本人がスリムなのは、豊かさや頭のよさと一緒に考えられている。日本食は健康なダイエット食としても歓迎されるはずだ。

つまり、日本人にはヨーロッパ人やアメリカ人のように極端な肥満が少なく、また、寿命も世界一長い。スタイルがよくなって、長生きできるという実利が加わるうえに、頭がよくて豊かな国民の食事というイメージが加わる。

日本食の飛躍的な発展は期待していいと思う。そこには「仰ぎ見られる」という要素が充分にある。

しかも、日本食がアメリカやヨーロッパに入るときも、社会的ステイタスの高い人たちから、つまり上から入ったという幸せな事情がある。あるロンドンの駐在員に聞いたが、最近では取引先との食事でも、先方の希望を聞くと、日本食を希望する人がほとんどで助かるとのことである。

文化の普及は一〇〇年の単位で起こる

ただし、ここで断わっておかねばならないが、日本食が普及していくまでには、相当な年月が必要だということだ。二十一世紀、ことによると二十二世紀までを要するかもしれないと、私は

▲今までは「働きバチ」と言われていた日本のビジネスマンに対する世界のイメージも、やがては消え、今度は憧れを含んだものへと変わっていくものと予想される

考えている。

これは食文化に限らないが、一つの文化が諸外国にまで普及していくのに、一〇〇年単位の時間を要するということは、けっして珍しくない。

日本の俳句は、五・七・五の一七音節《シラブル》の短詩型文学として、世界に通用する文学形式となった。いまや、カナダなどでは学校教育に採用され、低学年の子どもたちが英語やフランス語などで「ハイク（俳句）」を作っている。日本よりもむしろ海外で盛んになっていると言ってもよいくらいだ。

これは、日本の将来にとって祝福すべき出来事であるのは間違いない。

学校で「ハイク」を習う外国の子どもたちが、この、誰もが詩人になれるという文学形式が日本で生まれたことを知れば、なお一層、日本人のことを尊敬するであろうし、それがひいては日本と世界との関係をよりよくするうえでの大きな助けになるにちがいないからである。

だが、海外に俳句が定着するまでには、松尾芭蕉《まつおばしょう》が俳句を確立したときから考えても三〇〇年、少なく見積もって、日本の開国から考えても一〇〇年以上を要したわけである。

俳句ですら、このような時間がかかるのであるから、「食」という人間の根本欲求に関係してくる和食の普及に時間がかかっても、これはやむをえない。

また、和食が現在のかたちのまま、普及していくとは限らないだろう。

そもそも、日本でしか手に入らない材料を使っていくというわけにもいかないだろう。また、あの長い伝統を誇るフランス料理でさえ、日本の食文化の影響を受けてヌーベル・キュイジーヌ（懐石風フランス料理）という新形式を生んだのだから、和食も、普及する過程で何か新しいアイデアが加わるということもありえる。二十一世紀の日本料理が、われわれが想像もしないスタイルになっている可能性は高いと思う。

ここで付け加えておけば、フランス料理の歴史の上で、最大の革新はポール・ボキューズが始めたといわれるヌーベル・キュイジーヌである。これはボキューズが日本に来て、日本料理からアイデアを得たものである。

フランス料理の革新が日本から起こったというのは、目ざましいことではないか。

また、中華料理のシェフたちも、近ごろは日本で修業しなければ駄目だという。実態はよく知らないが、中華料理が変化を受ける可能性はあるだろう。香港でも、日本の天丼とか和風洋食の簡単なものが大いに人気があるという。

これは「下から入る」現象で、「仰ぎ見られる」のと逆だが、ハンバーガーの普及が、アメリカ文明のひとつの力を示しているのと、同じ意味に解釈してもよいと思われる。

いろいろと述べてきたが、結局、日本料理の普及は「時間の問題」であり、そのレールはすでに敷かれたと見ていいようである。

日本が世界の美意識を変える日

食文化という、ひじょうに根源的な部分においてすら、日本人を真似するということが出てくる以上、他の分野においても日本の影響力が強くなっていくのは、当然の成行きであろう。たとえば、美意識という面でも、日本の影響力が高まっていく。

身近なところで見れば、美人の概念も日本人の好みが世界の標準になっていくだろう。

かつての日本人もハリウッド映画に出てくる女優たちを、みな美しいと思ったものである。当然のことながら、ハリウッド映画は本来、アメリカ人向けに作られているのだから、アメリカ人の趣味に合わせて、出演女優を選択している。それを日本人が例外なく美しく感じたということは、すなわちアメリカ人の審美眼を日本人がそのまま受け容《い》れたということである。

これと同じことが、今度は日本が発信源となって始まるはずである。

考えてみると、美意識という点でも、日本は西洋と東洋の仲介者になれるという特質を持っていたことが、歴史的にも知られている。

フランス語でシノワズリィ（英語でチャイニーズ・スタイル）といって、装飾品や壁紙などにシナ風のものが流行したことがある。物好きな王侯が、一部屋をまったくシナ趣味にするということすらあった。

しかし、それはあくまで異国趣味であり、ヨーロッパ絵画の流れに影響を与えるということは

なかった。

だが、日本の浮世絵は違う。

ゴッホ展でも有名になったように、日本の絵はヨーロッパ絵画史を動かす力があった。印象派のインスピレーションも、日本からであった。

世紀末ともなれば、イギリス世紀末の鬼才オーブリー・ビアズリーも浮世絵を見て、独自の画風を作りだしたのである。私は、ビアズリー作品の復刻版を出したこともあって、彼が生前出版しなかったものまで持っているが、それは露骨なまでに浮世絵そっくりである。また、ランプなどのガラス工芸で人気があるエミール・ガレも、日本人の画家に習った期間があった。

つまり、日本は西洋近代画の流れを動かした。

もちろん一方で、日本の画壇も西洋画から絶大な影響を受けたことは、誰一人知らぬ人はない。

しかし、昨年（一九九一年）、日本で開かれた中国絵画展を観たときに驚いたことは、その画家たちが洋画を知っていて、また西洋に行ったこともあるのに、その絵が宋《そう》や明《みん》の時代のものと同じなのである。つまり、洋画を知っていても、影響される能力がなかったのだ。

ところが最近、若手の中国画家たちの展覧会を観たら、日本の洋画と同じになっていた。つまり、日本を通じて洋画を観る世代が出て、洋画が描けるようになったのである。

日本を通じて、アジア的、あるいはシナ的停滞性を抜け出すことができたと言えよう。これは、日本が西洋の近代科学や近代政治学や法制を消化し、それが他のアジア諸国を変えたのと同質の現象である。

日本が東西の懸け橋であることは、美術の面についても言えるのである。

「縮み志向」が世界を席巻した

いや、現在すでに、日本的感受性は世界を急速に変えつつある。

私はすでに前章において（236ページ）、世界中の人が欲しがるハイテク製品は、ほとんどすべて日本が造っているという事実を指摘し、またこういった日本製品が世界のライフ・スタイルになりつつあると述べた。

今や、日本製のウォークマンや電卓、さらにポータブルCDプレイヤーやビデオ・カメラなどは、イギリスやアメリカのごく普通の家庭にある電気製品になった。

これらの商品の共通点をひとつ挙げるとすれば、それらはみなコンパクトであるということになろうかと思う。

電気製品はみな、コンパクトであるべし——このコンセプトの発明者が、日本人であることは誰もが認める事実である。この日本人の傾向を研究し、いみじくも「縮み志向」と名づけたの

▲日本の浮世絵は、印象派の画家たちに多大な影響を与えた。このことは、日本人の美意識が世界に広がりうるものであることの重要な証左と考えてよかろう（左・モネ「日本娘」、右・ゴッホ「花魁《おいらん》」）

は、韓国の李御寧《りぎょねい》氏だが（『「縮み」志向の日本人』講談社刊）、同じアジアの人がこれは日本人の特色であると断言するのだから、まずもって疑いはないと思われる。

ここまでは今や常識であるが、さらに、われわれは深く考える必要があるだろう。ウォークマンなどに代表されるコンパクトな電気製品が、日本人に売れるのは当然の話である。なぜなら、造るほうも買うほうも同じ趣味、すなわち縮み志向を持っているから、これは不思議なことではない。

では、隣の韓国の人々ですら持っていないような趣味（縮み志向）によって造られた製品が、なぜ東欧やソ連に歓迎されるのか。

それはやはり、日本人に特有とされたはずの「縮み志向」が、ここ十数年のうちに、世界中に広がっていった結果だとしか考えようがない。

もはや、日本のハイテクにライバルなし

それ以前の世界において、「小さいことはいいことだ」という考えを素直に信じていたのは、日本人だけであった。これについては、証拠もたくさんあるし、断言していいかと思う。

たとえば、ＳＯＮＹはその創業期の一九五四年において、世界ではじめてのトランジスタ・ラジオを開発した。それまでの大きな真空管を止め、小さなトランジスタでラジオを造りたいとい

うSONYの意図を聞いて、当時のアメリカ人技術者は、一様《いちよう》に「そんなに小さなラジオを造って、誰が買うというのだね」と聞いたという。

現代でこそ、ラジオやカセット・テープレコーダーは小さいほうが便利だと誰もが認めるが、当時、そんなことに同感する人は、誰もいなかったのだ。「ちゃんと機能さえ果たせば、それで充分。何もあえて小さなものにする必要はない」というのが、当時の〝常識的判断〟であった。

この〝常識〟が変化していったのは、やはり一九七三年に始まるオイル・ショックが契機となったと見るのが正しいであろう。

また、電卓の場合は、日本では小型算盤《そろばん》が昔から普及していて、ポケットに計算機を入れて持ち歩くという〝イメージ〟を持っていた世界で唯一の民族だったことによる。先進国の欧米では、計算機はせいぜいデスク型の段階で発達が止まってしまった。

しかし、日本の電卓メーカー各社は、小型算盤にするまで小型化推進を止めなかった。それどころか、今では名刺ほどになっている。そういえば、ポケットに入れるものといえば「名刺」というイメージを持っているのも、日本人に国民的なものである。

そして、電卓で日本が世界を制したとき、それは日本のハイテク製品の小型化志向に対する確実な道標になったのである。いまさらながら、国民の持つ共通イメージの巨大な力に感銘せざるをえない。

そして、これをきっかけに、日本の経済躍進が始まったこと、また、その成長の起爆剤になった日本の省エネ路線が成功したこと（234ページ参照）で、日本人の「縮み志向」ともいえる傾向に、世界中から注目が集まったのである。

また、ここを境に世界中の人々は、省エネ日本のハイテク製品がかっこよく、素敵に見えるようになったのである。また、そのコンパクトな日本製品を実際に使ってみて、小さいことが便利であることを実感した。一方、資源を浪費して造るアメリカ製品が、急にみすぼらしく見えるようになったのである。

反日的ベスト・セラーとして話題になったマイケル・クライトンの小説『ライジング・サン』でも、主人公は日本から来る新製品が小型で美しいことに感銘しているほどだ（だからこそ、この著者は、日本の発展に危機感を持つのである）。

つまり、ここにおいて、世界中の感覚――美意識と言ってもいいだろう――が変わったのである。

いったん世界中の美意識を握ってしまった国ほど、強いものはない。造っている本人（この場合、日本人）が、自分で「いい」と思える製品を造れば、世界中の人も、魅力的に感じ、ぜひ使ってみたいと思うのは、間違いないからである。

かくして、日本の民生用ハイテク製品の圧倒的勝利はここで確定し、ＶＴＲ（アメリカ製のも

のは、元来大きかった)、ファクス、ビデオ・カメラ、小型携帯電話など新製品は、文句なく、世界中から歓迎された。

この構図を変えるようなライバルが現われそうにない以上、将来登場してくる日本製品の成功も約束されていると言ってよいであろう。

最近の報道によると(「日本経済新聞」一九九二年九月二十六日)、原子の種類を識別できるほど高性能な電子顕微鏡が、岡山理科大学工学部で開発されたという。複数の原子が混在している中で、一個一個の原子の姿を区別できるものは世界でも初めてのようだが、これも「縮み志向」の日本人ならではの産物であろう。

またこれに加えて、この「縮み志向」から「拡大志向」も生ずるというパラドックスが、日本にはある。

足利時代の日本は、扇や日本刀などの「縮み志向」の製品を得意としていたが、その先に進むと安土城や大坂城のような巨大な城を造った。これは城郭都市、つまり内部に民家を囲みこんでいるような城郭を別とすれば、世界最大のものである。

日本の場合、縮小化の過程で培《つちか》われた技量が、拡大化においても通じるという特質があるのである。

零戦という小型機の傑作を造る技術と、戦艦大和の技術とは、その底にある精神が通じてい

る。ポケットに入る液晶テレビを造る精神と、大型ハイビジョン・テレビを造る精神は同じだ。また、ギガ・ビット（ギガは一〇億、ビットは情報の単位）の半導体を造ろうとする精神は、地震国に高層大建築を造る精神と共通している。これらは、みな徹底的に精密でなければ成立しえない技術である。トルコやカリフォルニアでは何百人も死傷者が出るような規模の地震が首都圏に起こっても、一人も死なず、ごく少数の軽傷者が報じられるこのごろである。

やはり、「日本の時代」という新しい歴史が、これから始まるのだと思わざるをえないのである。

第七章

〝世界の師〟としての日本

——わが国が後世にまで伝えるべきメッセージとは

(1)日本は〝第二のアテネ〟になりうるか

ペリクレスがアテネ市民に与えた〝自信〟とは

「アテネとは、全体として全ギリシアにおける教育ということだ」と、古代アテネの政治家・ペリクレス（紀元前五世紀）が語ったと、トゥキディデス（アテネの歴史家）は伝えている。

その当時のアテネは、今日の感覚から言えば、大型の私立大学一個くらいの規模にすぎない都市国家であった。しかも、その東にはペルシア帝国があり、それと引き比べたとき、アテネの町はますます小さく見えた。

だが、アテネ市民のリーダーであるペリクレスは巨大なるペルシアを相手にしても、いささかの劣等感も持たなかった。それどころか、ペリクレスは、アテネは〝全ギリシアの師〟だということを信じて疑わなかった。また、その自信をアテネ市民にも植えつけたのである。

なぜなら、自分たちは全ギリシアに、また世界に師として教えるものを数多く持っていると確信していたからである。

それはたとえば、ペリクレスが完成したとされるギリシアの民主政治の理念であったし、また自由な学芸であった。これに対して、ペルシア人たちは単なる絶対主義者にすぎないではないか、世界の師となる資格はどこにもないではないかと、ギリシア人たちは考えていた。

そして事実、これ以降、アテネの文化は大輪の花を咲かせ、文字どおり世界の師となった。またアテネが滅んだあともその影響は消えず、今日に至っている。

ベスト・セラーになった『歴史の終わり』（三笠書房刊）の中で、著者のフランシス・フクヤマ氏は「自由《リベラル》な民主制度《デモクラシー》が、歴史発展の最終段階なのだ」という趣旨のことを盛んに強調しているが、この〝自由な民主制度〟という理念すらも、その起源は、ペリクレスら古代アテネの政治家に遡《さかのぼ》る。

このフクヤマ氏の発言を、もしペリクレスが蘇《よみがえ》って聞いたとしたら、さぞや満面に笑《え》みを浮かべて喜んだことであろうと思える。

アテネは消えたが、アテネの精神は消えることなく、現代に生きつづけている。

戦前・日本の再評価が、これから始まる

前章において、私は「日本の時代」は、今後数世紀にわたって続くということを述べた。

もちろん、それでも日本は数世紀ののちに、誰か別の文明にバトンを渡すことになるかもしれ

ない。だがそのとき、地球人の歴史にどんな贈り物を残せるのか、すなわち、いかなる点において日本は、後世に〝世界の師〟たりえるだろうかということについて、本章では考えてみたい。

私はまず第一に挙げたいのは、コロンブス以来四〇〇年間、白人にしか絶対マスターできないと思われた自然科学や近代的社会制度をわれわれ日本人が体得してみせ、他の有色人種の国々に対して、自分たちにもそれが可能だと覚醒《かくせい》させた点があると思う。

これによって、前章で詳しく見てきたように、人種差別の〝根拠〟が世界的に消えてしまったのである。

それまでの白人は、素朴な進化論を振りかざして、有色人種は生物学的に白人よりも低級であるとした。だから、有色人種は優秀なる白人の下僕《げぼく》として働くべき運命にあると信じて疑わなかったのである。

もちろん、人種差別の否定という理念は、釈迦やキリストの時代からあった。しかし、それは残念ながら理念の段階にとどまり、有史以来、差別が消えたことはなかった。

それを実際に消したのが日本であり、しかも国家間という大きなレベルにおいて人種差別を消してしまったのである。つまり、白人国家と有色人国家が対等に付き合うということをやってのけたのである。

残念なことに、今のところ、日本が差別撤廃に果たした意義の研究に真正面から取り組む学者

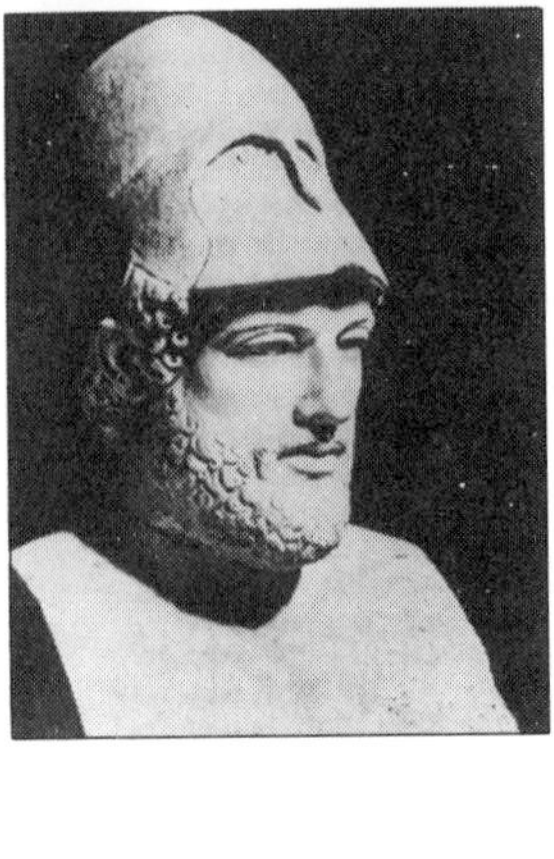

▲古代ギリシアの都市国家アテネは、今では遺跡のみが残っているが、その文化は現代まで生き続けている。はたして、日本は〝第2のアテネ〟になりうるだろうか（左・ペリクレス像）

は、ほとんど見当たらない。しかし、それは今後、さかんに研究されるであろう。

なぜなら、現時点では、その過程において日本が関係した戦争などの忌《い》まわしい記憶がまだ鮮明であり、また、とくに欧米圏の人々にとっては植民地の独立など、直視しにくい現実があるからで、冷静かつ客観的に人種差別の歴史が研究されるのは、だいぶ先の問題だろうと思われるからである。

そのときには、日露戦争の意義や、第二次世界大戦の真因なども再確認・再評価されることは間違いないと思う。そして、そうなれば十九世紀末から二十世紀にかけて日本が果たした役割を、地球上の人たちが、こぞって認識することになるだろう。

アメリカに移民が押し寄せた本当の理由

第二に、戦後になって日本は、小国で天然資源が乏しくとも、豊かになれることを世界に示した。これについても、日本は将来の世界から師として仰がれるであろう。

第二次世界大戦後のアメリカの繁栄は、たしかに世界の師となりうるものであり、世界中が彼らのライフ・スタイル、つまりアメリカ式生き方（アメリカン・ウエイ・オブ・ライフ）に従った。

しかし、どこの国の人々もアメリカのようになれるとは思わなかった。事実、当時の世界でア

メリカのようになりうる可能性があったのは、ソ連ぐらいのものであったろう。だが、ソ連には、そもそも自由主義を採り入れる気がなく、したがって、アメリカのようになろうとは思わなかった。

アメリカの繁栄を支《ささ》えたのは、広大な土地であり、なかんずく、豊かな天然資源であった。そのライフ・スタイルは、エネルギーを無制限に使うということを前提にしており、そこから、あのガソリンを食う大型自動車や、不必要なほど大きな冷蔵庫が生まれた。

だからアメリカの生活に憧れた人たちにしても、自分たちの国がアメリカと同じように、エネルギーの大量消費文明を享受できるようになるとは誰も考えず、結局、彼らの多くは国を捨て、アメリカへ移住したいということしか考えなかったのである。

戦勝国のイギリスからも、頭脳流出《ブレイン・ドレイン》という言葉が作られたほど、多くの人々がアメリカに移民した。イギリスは当時、ヨーロッパで最高給だったが、それでもイギリスの月給はアメリカの週給ぐらいであった。

イギリスの大学で新学期を始めようとしたら、何人もの教授がアメリカに引き抜かれており、その空席を埋めるために、急いでイギリス留学中の外国人の学者を登用するということが珍しくなかった。

アメリカの戦後の発展というのは、そういうものだったのである。

世界を奮《ふる》い立たせた日本の成功

これに対して、日本は広さにおいてはカリフォルニア一州よりも小さく、しかも、そのうち山岳地帯が七〇パーセント以上を占めており、その大部分は人が住めない。また、天然資源はこれといったものがない。豊富にあるのは温泉だけである。

さらに戦後の日本はアメリカの空襲によって、産業施設はすべて破壊され、大都市の住宅の大部分は焼き払われていた。そして、旧植民地からは、すべてを失った一〇〇万以上の人たちが引き揚げてきた。

アメリカ人から見れば、また、他の国々の人からみても、まことに哀《あわ》れな存在でしかなかったであろう。しかし、その日本が、わずか四十数年後に、一人当たりのGNPがアメリカを二割も超すようになったのである。つまり、アメリカを一〇〇とすれば、日本は約一二〇ということである。

これを見て、奮《ふる》い立たない国があるだろうか。

資源のない小国であっても、その英知を結集すれば、天然資源の豊富な大国をも凌ぐ生活ができるということを、日本は実地にやってのけたのである。

百万言を費《つい》やして理屈を説くより、みなの目の前で実際にやって見せる――これほど効果的な学習方法はない。

日本の成功を見て、どの国も「自分たちにしても、アメリカを凌ぐようになるかもしれない」と考えはじめるようになった。

そして、その自然な帰結として日本の成功を見習うようになった。これが、現在のNIES諸国やASEAN（東南アジア諸国連合）の発展の姿であるのは言うまでもない。と同時に、この日本の成功は古代アテネと同じように、これからも末永く記憶され、将来の人々を勇気づけていくことだろう。

この点においても、日本は世界の師たりえると、私は信じるのである。

(2)「刷込み《インプリンティング》」が作った日本的精神

「都市は森林を食べて成長する」

さらに私は、日本が将来、世界に誇りをもって伝えられるメッセージとして、三つの日本文化の精神を挙《あ》げておきたい。

これらは、いずれも日本文化に特徴的なものばかりだが、その第一の精神とは、日本人が持っている自然観、あるいは自然との共存の知恵である。

前述したとおり、日本はカリフォルニア一州にも満たないわずかな土地に、全アメリカの人口の半分ほどの人間が暮らしている国である。

これは、なにも現在に始まったことではない。昔から日本は多くの人口を抱《かか》え、狭い国土を耕して暮らし、産業を発展させつづけてきた。

にもかかわらず、日本人はハゲ山を作らなかった。日本人は、このことに何の疑問も持たないが、じつは、これほど奇妙な話もないのである。

ひとつの文明が栄えるとき、その国土から森林が消え去ってしまうのが、世界史の通例と言ってよい。最近の例を挙げれば、イギリスも繁栄の過程で、その国土から森林をどんどん減らしていった。

なぜ、そんなことが起こるのか。その最も大きな原因は、木材を燃料として使用するためであった。文明と火は切っても切れない関係にある。文明が盛んになれば、鉄を熔《と》かしたりするために、大量の燃料が必要になる。石炭や石油の利用が一般的になる以前は、必然的に燃料は周辺の森林から調達された。

しかも、文明が盛んになればなるほど、人口も増える。そうなれば、住宅や生活用具を作るために、さらに樹が伐《き》られるといったことが起こる。いわば、都市は森林を食べて大きくなる存在なのであった。

イギリスで辛《かろ》うじて森林が残ったのは、ぎりぎりのところで石炭の採掘が本格化したからにすぎない。かつては、その国土を欝蒼《うっそう》と覆《おお》っていた森も、今ではわずかに残るのみである。

ローマのジュリアス・シーザーが紀元前五五年ごろ、ブリテン島（今のイギリス）の征服に出かけた。理由のひとつは、この島にある豊富な樫《かし》の木だったという説がある。樫の木は造船に必要であり、ローマは船を必要としていた。

しかし、現在のイギリスで、樫の木の森を見つけることはむずかしかろう。

歴史が教える地球砂漠化の真相

これはイギリスだけに起きた問題ではない。たとえば中近東のレバノンといえば、いまや荒れ地のイメージしかないが、かつて地中海文明華《はな》やかなりしころは、「レバノン杉」の産地として名高かった。

シリア沿岸に住んでいたフェニキア人が、紀元前二十世紀から十世紀にかけて地中海貿易で活躍できたのも、このレバノン産の杉を使って船を造れたからだと言われている。また、その後も、レバノンに森林があったことは、旧約聖書の記述からも確認できる事実である。

さらに、現在ではリビア砂漠と呼ばれる北アフリカ地方にも、かつては森林があった。それは、この地方にエジプト文明が興ったという事実ひとつでも、容易に理解されよう。

また、紀元前三世紀に北アフリカの都市国家・カルタゴを率《ひき》いてローマを攻《せ》めた軍人ハンニバルが、「象軍」を使ったことも、この地方に森林があったことの証明である。象は砂漠に住めるわけがなく、森林と草原がカルタゴの近くにあったことを物語っている。

だが、北アフリカの森林地帯も全部使われ尽くし、今では砂漠の姿しか見ることができない。

このような例は枚挙《まいきょ》に暇《いとま》がない。

ヨーロッパ大陸では、ドイツなどはイタリアやスペインの惨状に比較すれば、ずっと森林が多く残されているが、これは石炭導入後に熱心に植林した結果であった。

中国の経済発展がありえない〝根本原因〟

さらに、シナの状況についても触れざるをえない。

台湾出身の華人である黄文雄《こうぶんゆう》氏によると（『それでも日本だけが繁栄する』光文社刊）、今日のシナ大陸における森林資源の減少はかなり深刻で、中国の森林の面積比率は、いまや蒙古以下であるという。また、別の資料によれば、観測衛星の写真を分析した結果、中国全土は砂漠化寸前の様相を呈しているとも伝えられている。

この何年というもの、毎年のように洪水の被害が、それも毎回記録を更新するような大規模な水害が中国で起きているが、これもまさに、砂漠化に原因がある。

つまり、豪雨が降っても、その水を一時的に貯えるような森林がなく、膨大な量の水がそのまま河川に流れこんでしまうために起きる一種の人災に外《ほか》ならない。マスコミによっては異常気象のために起きたと即断するところもあるが、こういった報道は間違いなのである。

そして、この事実を踏まえて中国の明日を考えるとき、この国が将来において世界をリードする可能性は、ほとんどないと判断すべきであろう。なぜなら、毎年水害が起き、安全に生活できないような場所で、新たなる文明が起こった歴史は、いまだかつてないからである。

植林し、緑化することも、もはや手遅れであろう。すでに砂漠化して久しく、土壌からは栄養分が流れ出ており、そのままでは樹は育たないであろう。いや、それ以前に植林事業を全国土に

わたって実行するには、中国一国では、とうていまかないきれないほどの資本が必要である。それに植林しても、それが立派な森になる前に、木材の他にエネルギー源を持っていない人々が伐って、食事用の燃料にしてしまうであろう。

このような国土を抱えた中国と、豊かな森林を誇る日本とを比較して見たとき、この二国を支えてきた文化は、やはり根本的に違うのだと感じざるをえない。

台湾と海南島《かいなんとう》の運命を分けたもの

この違いを明確に示す例として、先ほどの黄文雄氏は台湾と海南島《かいなんとう》（中国領最南部の島）の現状を比較して分析しておられる。

両島はほぼ同じ面積であり、緯度も海南島のほうがやや南に位置しているといった違いしかないが、この両島の現状は、まったく対照的であるという。

台湾は元来、シナ大陸本土とは海峡（台湾海峡）によって隔《へだ》てられていたため、大陸から人間が入るということが少なく、罪人が流されてくる程度であった。しかも、マラリアなどの風土病があったため、人口も増えなかった。つまり、文字どおり「瘴癘《しょうれい》の蕃地《ばんち》」（瘴癘とは熱病のこと）であり、シナの文化が定着するということはなかった。

この島が本格的に発展するようになったのは、一八九五年（明治二十八）、日清講和条約によっ

て日本の領土になってからのことであった。日本の台湾開発は感嘆すべき速さで進み、戦前の段階で、すでに中国本土のどの部分よりも、はるかに発展した土地になっていたのである。

これに対して海南島は、元来、大陸に近かったため、古代からシナの文化が入り、シナの政庁も置かれた土地である。文明化のスタートは台湾とは比べものにならないほど古い島であると言ってよい。

ところが、今日の台湾と海南島を比較すれば、その差は歴然としている。

一人当たりのGNPで見ても、台湾を五〇とすると、海南島は一でしかない。しかもこれは、現在の中国政府が重点的に近代化を推《お》し進めたあとの結果である。それどころか、樹の伐採《ばっさい》が進んで、海南島はいたるところハゲ山化しているという。

このような差が生まれてしまった最大の原因としては、やはり台湾が長く日本の統治下に置かれたこと、これに対して、海南島は中国政府の指導下で近代化が進んだことによる違いだ、と考えざるをえない。

「シナ文明は、力を失って久しい」

当時の日本政府は、たしかに植民地経営を行なったけれども、台湾の自然を破壊し、森林を伐採しつくすようなことはしなかった。戦後はだいぶ伐られたものの、今もって緑多き島である。

日本の朝鮮・台湾支配については、それを批判する立場も、もちろんあるだろう。だが、小《こ》泉《いずみ》信三《しんぞう》博士が、戦後書かれたエッセーの中で、「われわれは台湾や朝鮮を立派な国にしてあげたという誇りは持てる」と指摘されたことの意味を、今日、やはり再検討すべきではないだろうか。

実際、「海南島が一番いい姿だったのは、戦争中、日本が南方に進出する過程で、この島を統治下においたころではなかったか」という内容のことを、台湾出身の華人である黄氏も指摘されているのである。

ここで紹介した黄文雄氏をはじめ、最近、シナ文化圏に属する作家たちから、シナ文明についての率直な研究が、次々と出版されていることは重要な意味を持つと思う。

とくに、シナ文明は、すでにその力を失って久しいのではないかという彼らの指摘は、その当事者の発言であるだけに傾聴《けいちょう》に値《あたい》する。事実、そう言われれば、かつて『十八史略《じゅうはっしりゃく》』（左ページ注）を読んだときに、読み物として本当に面白く痛快に読めるのは、漢の時代や三国史の時代までであることに気づいた。

それまでの歴史には、誰もが知っているような故事や逸話が目白押しで、何回読んでも面白い。ところが、それ以後の話は昔の話の繰返しみたいなことが多く、「血湧《わ》き、肉躍《おど》る」という感動があまりないし、何か二流の役者の芝居を見ているような気がしてならないのである。

これは一例にすぎないが、シナ民族の歴史推進力は、やはり黄氏らが指摘されるように、漢や三国史の時代あたりで尽きてしまったのではないかと、私には実感として思い当たるのである。これを西洋の学者の眼で見れば、「アジア的停滞性」ということになろう。

一方、日本では明らかに各時代とも、はっきりと進みつづけてきている。おそらくそれは、日本文化がシナ文化に比べて一五〇〇年か二〇〇〇年、若いということにもよるのであろう。それは、森が残っていることとも関係があるのかもしれない。

それはともかく、森林を伐採しつくさなかったことによって、現在の日本の風土が守られたのは紛《まぎ》れもない事実である。

日本の林業政策の課題

だが、その一方で、現代の日本が、熱帯雨林地帯の樹木を乱伐している国と非難されている事実も、否定するわけにはいかない。しかし、このような非難をよく聞いてみると、どこかいかが

●**十八史略**――元《げん》の曾先之《そうせんし》の著。太古から宋《そう》末までの史実を、『史記《しき》』や『漢書《かんしょ》』などの史料をもとに簡略にまとめ、初学者向きの歴史教科書として編纂《へんさん》された。日本には室町時代ごろ伝来、江戸時代に入ってからは、シナ史や漢文の入門書として、広く読まれた。

わしい部分のある議論のように思えてならない。

そもそも、自然保護運動を唱え、日本非難の先頭に立っているはずのアメリカが、スーパー三〇一条まで振りかざし、日本はアメリカの木材を買えと叫んでいるのも、奇妙な話である。熱帯雨林なら悪くて、寒帯林ならいいと言うのだろうか。

それは措《お》くとしても、日本は何も国内材を使い果たして、外材を買っているわけではないわけで、また、国内の森林は大事にしても、海外の山は丸裸にしてもかまわないというようなダブル・スタンダード（二枚舌）の国でもないのは、戦前の台湾の例を見ても分かると思う。

ではなぜかといえば、私は日本の林業政策に問題があると見ている。

現在のように日本が外材を買い漁《あさ》るようになったスタートは、日本政府が一九六〇年（昭和三十五）から、日本の木材市場を開放し、安価な外材輸入を許したことから始まるのである。これによって、国内の林業は一気に不振になり、輸入材が全盛を迎えるという現状が生まれた。しかも、この木材市場の開放は、いまのコメ問題と同じく外圧に対する政治的判断によるもので、けっして木材不足に起因するものではなかったのである。

ある説によれば、現時点においても量としては充分、需要に応《こた》えられるほどの供給は国産材で可能であるとされるし、少なくとも国産材を優先して使うほうに、税制を含めて政策をシフトしていけば、外材に頼る量はかなり減らせるはずである。

そうやって、衰退しつつある国内林業がふたたび活気を取り戻してくれるならば、国産材は高くてもよいのではないか。一方において、熱帯雨林を持つ国々が、日本に「木材を買え」と要求しないことも必要である。

森に神聖さを感じる日本人の〝天性〟とは

また、それに加えて熱帯雨林の資源を買うばかりでなく、植林などによって守ることにも力を入れていくことで、問題の解決は充分に図りうると思われるのである。さらに言えば、日本の緑化技術は世界でも高く、この技術を東南アジアやブラジルなどに指導すれば、環境保護に関しても、わが国は多大の貢献をするところとなるだろう。

この方面の努力は、すでに始まっているが、現地の人の意識を変えることのほうが、むずかしいようである。

話を元に戻せば、有史以来、文明は発達させても森林をなくさなかったのはわが国だけと言ってもよく、この日本人の特質は、環境問題が重要視されていく今後の世界において、ますます尊《とうと》ばれ、また多くの国から模倣されていくであろう。

では、なぜこのような日本人の特質が成立したのだろうか。

それは、日本人の自然感覚の原点が、神社からスタートしているためだと言って間違いがな

い。

言うまでもなく、日本では神社のあるところ、かならず鎮守《ちんじゅ》の森がある。というより、山があり、森があるようなところには、かならず神社があるというのが、日本古来からの風景であった。これは日本に仏教が入り、両部神道《りょうぶしんとう》（本地垂迹《ほんちすいじゃく》説による、神仏一致の思想）になっても、変わらなかった。

この状態が二〇〇〇年の長きにわたって、一度も絶えることなく続いた結果、森を見ればそこに神聖さを感ずるという「第二の天性」とも呼ぶべきものが、日本人の心の中に定着した。すなわち、「森に囲まれた神社」というイメージが、日本人の自然観を決定づけたのである。

動物研究を科学にした「刷込み《インプリンティング》」理論の意義

この例のように、人間の行動や思考の形式が、ある具体的イメージによって決定づけられることを、動物行動学の創始者コンラート・ローレンツ博士（オーストリア）は「刷込み《すりこ》（インプリンティング）」と呼んでいる。

生まれたばかりの雁《がん》（ハイイロガン）の目の前で長靴を動かして見せると、その雁の子はその長靴を母親だと思いこみ、長靴のあとを追いかけ回す――このような、じつに鮮《あざ》やかな例によって、ローレンツ博士は動物の刷込み現象を証明した。

つまり、動物の本能とされたものの中には、誕生直後に与えられた刺激（この場合、視覚に映《うつ》った長靴の姿）によっても決定される部分があるのだというのが、ローレンツ博士の発見の偉大な点であった（一九三七年に発表）。

これは、「動物は本能の奴隷である」という従来の動物観を根底からひっくり返し、まったく新しい動物観、生命観を提示したわけで、動物学上の画期的発見であった。

それまで動物学を支配していた本能という概念は、極端にいえばオカルトのようなもので、自然科学の用語としては危険な部分が大いにあった。

本能とは何であり、また、それは子孫にいつ、どうやって伝えられていくものなのか——このような具体的な側面が何ひとつ分かっていないのに（遺伝子の構造が分かった今日でも、本能の正体は分かっていない）、それまでの動物学者たちは「本能は存在するのだ」と単純に決めつけ、動物の行動を「本能のなせるわざである」と説明してきた。

これでは、宗教と何ら変わるところがない。

宗教においては、まず「神は存在する」という、自然科学的に証明不可能な前提があり、そこから出発して、この世の中に「神のみわざ」を見る。

もちろん、宗教は、その中心命題《セントラル・ドグマ》（神は存在する）を、自然科学的に証明することは不可能であると公言して憚《はばか》らないわけであるから、それはそれでいいのだが、自然科学であるはずの動物

学がそれでは困る。

たとえば、「なぜ雄鶏《おんどり》は朝になったら、時を告げるのか」と聞かれれば、「それが雄鶏の本能なのだ」という説明まではできる。だが、「では、なぜ同じ鳥のオスでも、ガチョウは時を告げないのか」と聞かれれば、困る。

なぜなら、動物には個々に本能があるという証明不能の前提に頼ってきた以上、「それは本能が違うからだ」と答える以外に言いようがないからである。〝本能とは何か〟がよく分かっていないのであるから、ニワトリとガチョウの本能のどこが違うのかということは、答えられないわけだ。

そこに、ローレンツ博士が刷込み現象という、誰が見ても因果関係のよく分かる事実を提示したことの意義は大きかった。つまり、この発見で、動物の本能解明の手がかりが出来たのである。

〝国民性〟という言葉に潜《ひそ》む危険性

さて、この刷込み現象の発見は、人間集団の観察においても重大なヒントを与えるものと言ってよい。

いままでの歴史研究の問題点は、ある民族の行動（＝歴史）が、なぜ起こったのかということ

◀森を神聖と感ずる精神は、神社の刷込みが産んだもの（明治神宮）

▶ローレンツ博士は、刷込み理論の発見で、本能の概念を一新した

に関して、とかく「国民性」とか「民族性」という言葉で、簡単に解決してきたように思う。

この国民性という言葉は、たしかに便利であって、「日本人は昔から、そういう国民性だったのだ」などと片づけることができ、聞いたほうも何となく分かったような気になる。

だが、これは結局のところ、動物学における本能と同じで、証明不可能な概念なのである。「では、なぜ日本人にだけ、その国民性があり、ほかの民族にはなかったのか」と聞かれれば、さっきの本能の話と同じで、「それは、国民性が違うからである」という返事しかできなくなってしまう。

だから、歴史研究においても、本能という言葉と同じように、国民性という言葉を振り回すのは、危険なことなのである。そして、こういった観点から、私はひとつの方法論として、歴史に「刷込み」の概念を導入することを提案したいと思う。

ゲルマン民族の自然観を変えたキリスト教

前置きが長くなったが、日本ではハゲ山がなぜ少ないのかという問題に対して、私は「森に囲まれた神社」のイメージがインプリンティング（刷込み）されたためだろうと述べた。

では、近代文明の推進力となった白人文化、中でもその中心勢力になったゲルマン文化において、森林のイメージはどうであったのだろうか。

これについては、何といってもキリスト教がゲルマン民族に与えた影響が、最も大きいと考えられる。それまでのゲルマン民族たちは、日本人と同じように自然崇拝の感覚を持ち、森の中でもひときわ大きな樹を、いわば神木として崇《あが》めていた。

この感情が日本と同じように二十世紀まで続けば、現在のようにヨーロッパから自然林が消え去ってしまうということはなかったであろう。ところが、キリスト教がゲルマンの森に入ったとき、この感情を完全に打ち砕《くだ》くような出来事がしばしば起こった。

それは、キリスト教の伝道者たちが、ゲルマン人を教化するには、まず彼らの神よりキリスト教の神のほうが強力であることを示すのが、最も簡単であると気づいたために、彼らゲルマン人が崇める神木をみずからの手で伐《き》って見せようと考えたのである。

もし、ゲルマンの神のほうが強いのであれば、伐った者には罰《ばち》が当たるであろうし、罰が当たらなければ、キリスト教の神のほうが強いという理屈である。

そんな子ども騙《だま》しのようなことが本当に起こったのか、と疑問に思われる方もあるだろうが、これは史実なのである。

これを最もドラマチックに行なったのは、イングランド生まれのボニファティウス(六八〇~七五四年)で、ガイスマールにおいて神聖なる樫《かし》の木を伐り倒して、ヘッセン(ドイツ中部)地方全域のゲルマン人をただちに改宗させてしまった。彼はのちに殉教したが、ドイツの布教に最も

功績があり、ドイツ守護の聖人として列せられたのである。

これによってゲルマン人の森に対する感情は、しだいに変わってしまった。それまでの自然崇拝の感覚が弱まり、自然を支配下に置くという感覚が濃厚になったのである。

なぜ、教会は森の中に建てられないのか

それと同時に、森に対するイメージも根本的に変わってしまった。それまでのゲルマン民族にとっては、森は聖なる場所であったのに対し、それ以降はキリスト教布教以前の〝未開の地〟の象徴になってしまったのである。

まさにこのために、ヨーロッパにおいては一般に、森の中の教会という概念は存在しない。教会のあるところは、全部森を伐りはらった広場であり、森は駆逐されるべきものであって、森の中で祈るという気持ちはなくなってしまったわけである。

このような「刷込み」を持ってしまった民族にとって、森の樹々を伐り倒すことは喜びにはなっても、それを守ろうという気持ちがなかなか起きなかったのは当たり前のことであろう。

もちろん、この自然征服の欲求が、ヨーロッパ文明の発展を促《うなが》した大きな契機になった事実は認めるべきであろうが、地球環境の破壊が深刻な問題である今後の世界においては、ヨーロッパ文明が持ちあわせていない「森と共存する、あるいは森を神聖なものとして大切にする文明」の

ほうが、はるかに重要になってくるはずである。

日本人は近代になっても、明治天皇がお亡《な》くなりになったとき、東京の真ん中に原始林に近い大きな森を造った。明治神宮内苑が、それである。

ヨーロッパ人なら、よりによって近代化の象徴とでもいうべき明治天皇を、森の中に祀《まつ》ろうなどとは思いもしなかったであろう。

しかし、近代精神を身に付けたはずの日本人が、森こそは日本の偉大なる天皇を祀るにふさわしいと感じて、首都の中心に森を造ることを平気で実行してしまった。しかも、これだけ過密になり手狭になった現代の東京に住んでいる人たちも、それを当たり前のことと考えているし、この森を潰してしまって住宅を建てようなどという意見も、聞こえてこないのである。

このような日本人の感覚こそ、日本が今後世界に誇りうるメッセージの一つであると、私には思われるが、いかがであろうか。

「わが仏《ほとけ》、尊《とうと》し」を否定する日本的宗教観

日本が将来、世界に誇るべきメッセージとして残すべき日本文化の第二の精神には、日本人の「相対化された宗教観」ということがある。

「わが仏《ほとけ》、尊《とうと》し」という諺《ことわざ》は、どなたもご承知のことであろう。「自分の家の仏壇にある仏さ

まが一番ありがたくって、功徳《くどく》がある」という意味だが、これはけっして、肯定的に使われる言葉ではない。

つまり、自分の信じる対象だけを絶対視することへの批判的表現であり、この言葉が示すとおり、日本人は、宗教を絶対化することをいいことであるとは、これまであまり思わなかったし、また今も思ってはいない。

たしかに自分の宗教に献身し、いかなる犠牲も厭《いと》わないということは、その宗教にとってはきわめて立派なことであろう。また、自分の思想や行為を、その宗教のドグマ（教義）に合わせるということも、宗教的立場に立てば尊いことであろう。

しかし、そういう宗教が、同じ世界にいくつもあったら、どうなるであろうか。

もちろん、それでは収拾がつかなくなる。たとえば、今の世の中で、そのドグマに忠実な信者が最も多いと言われるのは、イスラム教であろう。何しろ、「原理主義者」という人々がいるくらいのものである。

だが、この最も敬虔《けいけん》であるはずのイスラム教徒たちの振舞いが、非イスラム教徒の私たちの目から見れば、かならずしも道徳的に高いとは思われない状況にあるのは、どういうわけであろうか。

ごく普通の文学作品をつかまえて、自分たちの宗教を誹謗《ひぼう》したと言い、その作者に死刑の宣告

をするようなことは、イスラム教徒の目から見れば正しいのかもしれない。だが、そのようなことを各宗教が始めれば、世界中は再び宗教戦争の時代に戻らざるをえなくなる。

国家間の戦争と違って、宗教戦争に利害得失の計算は存在しない。つまり、ここらで手打ちにしようという判断はなく、相手が全部倒れるまでやらなければ収まりはつかないのである。

いまさら宗教戦争の時代に、誰が戻りたいと思うであろう。

鎖国の時代と現代世界の類似点

宗教同士の無益な諍《いさか》いを防ぐためにも、「わが仏、尊し」という感覚を捨て、つまり自分の信仰を絶対のものと思わず、ある程度、これを相対化していくことの重要性は、ことに地球がうんと狭くなった今日、誰しもが認めなければならないであろう。

長い宗教戦争の経験を通じて、ヨーロッパ社会も宗教の相対化の必要性に気づき、そこでいわゆる「啓蒙主義」が生まれたのは、二章で述べたとおりである。また、これに対して、日本でも織田信長がその啓蒙精神を、ヨーロッパに先駆ける形で示して見せ、徳川時代の政策も啓蒙主義的だったということも、同じく二章で述べた。

しかし、その相対化の程度を比較してみれば、日本に比べてヨーロッパは徹底した相対化までにはゆかなかった。これは、いまだにイギリスの北アイルランド地方でカトリック系住民とプロ

テスタント系住民の武力抗争が止まないという一事をもってしても、理解されるであろう。

その点、日本が到達した境地は、徳川末期の石田梅岩《いしだばいがん》による心学《しんがく》(64ページ参照)に見られるように、徹底した相対化とも言えるものであった。

心学では、まず心というものを第一に重んじ、心を磨くことによって人間として立派になるということを目標とした。そして、心を磨くためには儒・仏・神のどれでも構わないとした。

この心学の教えは、将来はイスラム教の人でもその価値を認めないわけにはいかないであろう。そこには、どこを突ついてもイスラム教を誹謗《ひぼう》するような要素はない。しかも、心を磨くためには、どんな宗教でもいいというのだから、当然のことながら、イスラム教で磨いてもいいわけである。

徳川時代の日本は鎖国であったから、いきおい小さな空間の中に住まざるをえなかった。したがって、おたがいに宗教戦争などやっていてはたまらない、という実感があったのだと思う。鎖国という日本だけが味わった体験から生まれたこの実感こそが、日本独特の心学を生みだす方向に思想史を進ませたと思われるのである。

ところが、今や地球が狭くなって、あたかも鎖国時代の日本のごとき感覚になった。なにしろ、イギリスで出版された小説にイランから文句が出るのであるから。

このように狭くなった世界において、鎖国時代の日本人が得た宗教感覚が採《と》り入れられる必要

があることを、ますます多くの人が認識してくることであろう。

西洋人にとって労働とは〝罰〟

さて、日本人がメッセージとして後世に伝えるべき第三の日本文化の精神として、勤労に対する考え方、すなわち「日本人の労働観」が挙げられるだろう。

私はかねてから、それぞれの民族が勤労に対して持っている概念は、多くの場合、その民族の歴史的イメージ、すなわち「刷込み」と大いに関係があるのではないか、という仮説を抱いてきた。

そして、その刷込みの出発点になったのは、多くの場合、その宗教の教典の中で描かれた「極《ごく》楽《らく》」あるいは「楽園」の描写であると、私は見ている。

たとえば、旧約聖書を共通の教典とするユダヤ教、キリスト教、イスラム教のなかにおいて描かれているのは、パラダイス、すなわち楽園であり、労働なき世界であった。

ここにはアダムとイブなる男女がいるが、彼らは仕事はしていない。いつも快適な気温に保たれた世界であるから着るものもいらないし、食べるものは樹から果物を穫《と》ればよい。

しかし、彼らは禁断の木の実（知恵の実）を食べて神の怒りに触れ、二人は楽園を追放されてしまう。その罰として、男は額に汗して労働することを命じられた。また、女は男に服従し、子

どもを産むことを命じられた。

この旧約聖書を読んだ信者たちが、労働に対してどのようなイメージを持つであろうか。答えは分かりきっている。

すなわち、労働は罰であり、苦痛であり、かれらにとって本当の幸福とは楽園で遊ぶことなのである。

仏教においても、「極楽」のイメージは蓮《はす》の花の上に静座している姿である。お寺の庭の池みたいなところが、極楽なのだ。

極楽を求めた平安朝の人が、宇治に平等院を建てたのは、極楽のイメージに浸《ひた》るためであった。そのイメージは、美しい静寂であった。

〝エデンの園〟への逃避

だが、信仰心が厚く、神を畏《おそ》れる敬虔《けいけん》な心が明確な時期には、旧約聖書の文化圏の人たちにしても労働は当然のことと、これを真っ正面から受け取って熱心に働いた。女も、結婚式で男に服従を誓い、子を産むことを女の務めと考えた。

ことにプロテスタントにおいては、仲立ち役の教会を廃止して、神の視線が信者ひとりひとりに注《そそ》がれるとしたため、神の怒りに触れ、地獄に落ちぬよう、彼らは一生懸命に働いたのであ

▶聖書文化圏では、労働とは苦役であるというイメージが〝刷込み〟として定着している（図・アダムとイブの楽園追放）

◀仏教でも〝極楽《ごくらく》〟は労働なき世界（左・極楽を模したとされる宇治・平等院）

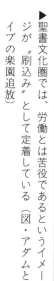

る。

そして、このプロテスタントたちの勤勉さがヨーロッパに資本主義を成立させたのは、よく知られているようにマックス・ウェーバー（ドイツの社会学者）が『プロテスタンティズムと資本主義の精神』で指摘したとおりである。

だが、このような敬虔な信仰心は、なかなか続くものではない。神を畏《おそ》れる心が減っていくとともに、人間に課せられた罰など、なるべくなら受けたくないという気持ちが強くなってくるのは当然の流れであろう。結局、男はなるべく楽をして、働かない方向に流れ、また、女性のほうも男に服従するのはいやだ、子どもも産みたくないという方向に流れていったわけである。

そして、自分にとって都合《つごう》のいいイメージだけが残った。つまり、人間の理想はパラダイスにあるのだから、できるかぎり仕事もせずに男女が戯《たわむ》れているような生活が正しい、という考えの出現である。

この考え方をもっともストレートに表現したのが、いわゆるヌーディスト・クラブであろう。男も女もアダムとイブのように裸になり、仕事もしないで、果物を食べる——この、いかにも旧約聖書的なレジャーは、いくら日本人にアメリカ崇拝の気分があったとしても、まったく受け容れられなかったが、エデンの園の刷込みのない日本人にとって、これは当然の話である。

「神様ですら、働く」と考える日本人の勤労意識

これに反して、日本では、高天《たかま》が原《はら》で神々は労働をしていたのである。

しかもその労働は、神様だけができるような特殊技能や知的労働ではなく、当時の日本人がやっていたのと同じ仕事であった。

具体的にイメージしにくい聖書のゴッドと違って、日本の神々はアンスロポモーフィックな（人間の形をしていると表象されるような）ものなのである。日本の神様は、「崇敬される先祖の霊」とでも言ってよいであろう。だから、その崇敬される先祖の姿を具体的に表象しやすいのである。

『古事記』を読むと、日本の主神である天照《あまてらす》大神《おおみかみ》が機織《はたお》り小屋を持っていたという記述が書かれている。天照大神は女神であるから、これは自分でも機を織っていたと解釈すべきであろう。

また、ほかの男神たちも田畑を耕《たがや》していたことが、ちゃんと書かれている。

すなわち、太古に刷り込まれた日本人のイメージとしては、労働というものは神様もする、というものであった。したがって、労働を卑《いや》しいとか労働が罰であるという発想は、日本人の体質には合わないのである。

この刷込みが今も生きつづけていることは、失業や定年で仕事がなくなった状況を、多くの日本人が最も不幸な出来事と感じることに、何よりも象徴されていると思う。

日本のビジネス社会の中では、窓際族になるということほど同情を集める事態はないが、欧米人たちは「あくせく働かなくて給料がもらえるのだから、そんなにいいことはないではないか」と受け取るのが一般である。

現代の日本では、労働時間の短縮が叫ばれているが、仕事を嫌悪する気持ちより、仕事を喜ぶ気持ちのほうが貴重であるという事実は、いつの時代になっても変わらないことであろう。

その意味で、「神様ですら、働く」と考える日本人の労働観は、先に述べた自然観や宗教観と並んで、これからの世界にとって重要なメッセージとなると思われるのである。

(3)「外交大国」への道

アメリカの「中南米化」はありえるか

私は本書の中で、これから数世紀、少なくとも二五〇年間ぐらいは「日本の世紀」となると述べてきたが、「それでは、そのころ他の文化圏はどうなっているのか」ということも、大いに気になるところであろう。

個々の国の運命を予見・予測するということは、歴史全体の流れを予見することよりも、はるかに困難なことである。だが、以下に私の観察と予測を簡単に述べてみたい。

かつてD・ハルバースタム（ジャーナリスト、評論家）は『ネクスト・センチュリー』（TBSブリタニカ刊）の中で、北アメリカでも中南米化（政治の不安定化、経済の悪化など）が進むのではないか、ということを盛んに心配していたが、これは充分に考えられることである。

かつてアメリカは、メルティング・ポット（人種の坩堝《るつぼ》）と言われていた。これは、さまざまな国から、さまざまな文化伝統を持った多数の人間が移住してくるが、結局、彼らはアメリカと

いう坩堝の中で熔《と》かされ、全員がアメリカ人になるのだという意味であった。

ところが今日では、坩堝という表現は消え、混ざるだけで結局ひとつになれないという意味で、「サラダ・ボウル」であると言われたり、「モザイク国家」だなどと言われるようになった。しかも、ある推計によれば、三五年後には、アメリカに住んでいながら英語を話さないヒスパニック（左ページ注）が、全人口の四〇パーセントを占《し》めるのではないか、とさえ言われている。

この数字がはたして正しいかどうかは別としても、すでに西海岸の大都市の中では、アメリカの中であるにかかわらず、「この店では英語が使えます」とか「当店の店員は英語が話せます」といった看板が見受けられるようになっており、スペイン語しか話せない市民がいかに増えているかを示している。

このような状況になったときに、アメリカ国内の政治・経済がどのようになるかは予断を許さぬところではあるが、日本との経済関係によってアメリカの繁栄は継続されると考えられる根拠がいくつか存在する。

何より、太平洋を挟《はさ》んで向かい合うという地理関係は、アメリカにとって有利な点であり、日本の繁栄は、そのままアメリカにもいい形で影響を及ぼすに違いないからである。その点で、「おたがいに有利な《ミューチュアリ・ベネフィシャル》」という、アメリカ人の好きな表現が当てはまるような関係の構築ができるであろう。

アメリカの衰退には、理工系の進学者の減少があるとされるが、しかし、現代ではアジア系アメリカ人の学生が理工系に、ますます多く進むようになっている。

アジア人は、長いあいだ、白人の自然科学を習得できないものと思っていた。だが、同じ皮膚の色をした日本人の活躍を見て、自信を得たのである。自信さえあれば、人種差別が比較的少ない理工系に進学するほうが、アジア系の学生にとって有利である。

このような、アジア系学生の理工学部での成功が、ヒスパニック、ひいては黒人にも及ぶならば、アメリカの将来はひじょうに明るい。

なぜ、アメリカは中南米投資に失敗したか

また、アメリカ合衆国と同じ理由で、中南米、それも太平洋岸の諸国（メキシコやペルーなど）も、日本との取引きがますます密接になることであろう。

かつての中南米は「アメリカ（合衆国）の裏庭」と呼ばれていた。これは、南北アメリカ大陸

●**ヒスパニック**——スペイン語を母国語とするラテン・アメリカ系移民の名称。現在では、約二〇〇〇万人いるものと推定されている。英語を解せず、スペイン語しか用いない人が多いのが特徴。西海岸の一部では、ヒスパニック系住民と黒人との対立が起きている。

に対するヨーロッパの介入を拒否するという外交方針（モンロー主義）をアメリカが打ち出し、これによってアメリカ合衆国の影響力を圧倒的に受けていた地域であったからである。

そして事実、第二次世界大戦後に至るまで、中南米はアメリカの経済波及効果によって、自分たちも豊かな国になっていた。戦前、日本からペルーやブラジルに多数の移民が渡ったのも、まさにこの背景があったからである。

ところが、その後の中南米の歴史は、後退する一方という観がある。

これは、アメリカが中南米に行なった投資が見当はずれで、まったくの失敗に終わったことの証明に外《ほか》ならない。

端的に言って、アメリカの投資は、中南米諸国に中産階級を生み出すような方向のものではなかった。アメリカ企業が中南米でしたことは、ごく少数の金持ちと多数の貧困層を生み出すことだった。

この問題を理解するうえで、最も分かりやすい比較は、日本が東南アジア諸国で行なった投資の方法論との対比であろう。

中産階級を作った日本企業の海外進出

日本企業が海外に工場を作り、そこで生産を行なう場合に特徴的なことは、現地の人との共同

作業の形を採《と》ることにある。

たとえば、TVの組立てラインを作る場合でも、日本で実際に現場で働いている人間が現地にやってきて、組み立てるうえでの注意はもちろんのこと、働くうえでの心構えに至るまで、細かく教える。しかも、その工場が軌道に乗るまでは、一緒になって汗を流すのである。

じつはこれこそが、東南アジアで中産階級を生み出すもとになった。なぜかといえば、一生懸命働く日本人を自分の目で見、しかも、その日本人から品質管理の思想などを直接聞くことになるからだ。

つまり、これは日本に行かずとも、日本に留学したのと似たような体験を得るということである。一人の人間を通じての学習だから、その窓口は小さいが、それでも経験する前と後では天地の差、当人にしてみれば別人になったような思いがするのではなかろうか。

また、その人たちは、天然資源にろくに恵まれていない日本が、重要な局面のいくつかでアメリカに追いつき、追い越したことも知っている。手本は近くにあるのだ。

そして、その中で才覚のある人は、自分でも日本人のやり方でモノを作ったり、あるいは商売を始めようとしだす。

結局、中産階級とは、あくまでも自助努力で豊かになろうという人たちのことであって、いくら頑張って働けと政府がスローガンを叫んでも、そう簡単に作れるものではないのである。

何度も言ったように「見る」ということに勝《まさ》る動機はない。目の前に、自助努力で働く中産階級の見本のような日本人が現われることによって、意識は完全に変わってしまう。

もちろん、日本人が現場に出ていくことによって、いくつかの摩擦は起きたかもしれないが、やはり、そうやったおかげで東南アジアに中流階級が生まれた事実は、ここではっきりと強調しておきたいと思うのである。

一方、これに対してアメリカ企業が中南米で行なった投資は、文字どおり資本投下であった。これでは、本当の中産階級とはどんなものか、どんな人間なのかは、生涯実感できなくて終わってもしかたがない。したがって、中南米で中産階級が勃興《ぼっこう》するということは、とうとう起こらなかったわけである。

しかも皮肉なことに、中南米の人たちもアメリカ式の投資では、結局のところ国が栄えることはありえないということを、骨身に沁《し》みて実感しているはずであり、また、一方では日本の投資で東南アジアが繁栄したという事実も目にしている。となれば、今後の中南米諸国は、日本との協力関係を深める方向に進んでいかざるをえないだろう。

消えた東南アジアの反日運動

次は、同じ太平洋圏の中でも、最も将来が明るい東南アジアと日本との関係を考えてみたい。

これに関して、今も述べたように、日本の工場進出が東南アジアの中産階級成立に寄与したという事実がある以上、友好関係は深くなることはあっても、逆は起こりえない。だから、心配する要素はまったくないと言ってよいはずである。

ただここで、ぜひとも一言しておきたい事実がひとつある。それは、かつて日本の新聞などでも盛んに報じられた、東南アジアでの反日運動のことである。

戦時中に日本が進出したことで、東南アジアでは対日感情が極端に悪いという話が、戦後数十年の間、さかんに言われてきた。実際、田中角栄首相が東南アジアを歴訪したときも、ほうぼうで反日デモが起きた。

ところが今日では、その反日運動の火はまったく消えたような状態になってしまった。竹下首相や海部首相、さらには天皇陛下も東南アジアを訪問なさったが、反日行動はまったく起こらなかった。

これはもちろん、先述したように日本の工場進出が彼らの繁栄に寄与したことも大きいと思うが、さらに重要な要素として、当地に住んでいる華僑《かきょう》の人たちの対日観の変化を挙げなければいけない、と思うのである。

戦争以前の東南アジアには、すでに華僑の人々が住んでいて、しかも経済的にも恵まれた立場にあった。

そして、当時の東南アジアの支配者は、イギリスやオランダやフランスなどであったから、当然のことながら華僑たちは、これらの白人たちと運命共同体を構成していた。あえて言えば、白人の手先となって現地民を搾取《さくしゅ》していたわけである。

したがって、第二次大戦になって日本軍が南方作戦を展開し、東南アジアからイギリスなどを追い出そうとしたときに、華僑たちは同じ黄色民族の日本人が来たからといって、素直に喜べなかった。白人がいなくなった以上、自分たちが儲けるための手段もなくなってしまったからである。

だから、多くの華僑は、旧宗主国である英・蘭・仏などに味方するという選択をし、対日ゲリラや対日スパイになったりした。そのために日本軍の憎しみを買い、捕らえられ、処罰されたり投獄されたりした人も少なくない。日本軍が南方において処刑した「現地人」のほとんどは、このような華僑であった。事実、今でも、何百人の日本兵を殺したなどと、ゲリラ戦の「戦果」を誇っている人もいる。

しかし、これらの人が処刑されたのは、宣戦布告した戦場で敵側のゲリラないしはスパイとして行動したからである。こういった人間まで、国際法は保護してはくれない。だから、日本人がそれを遺憾に思うことはあっても、あらためて謝る必要はないのである。

これと同じことをやれば、連合国側でも同じような処罰をするであろう。ことさらに「日本軍

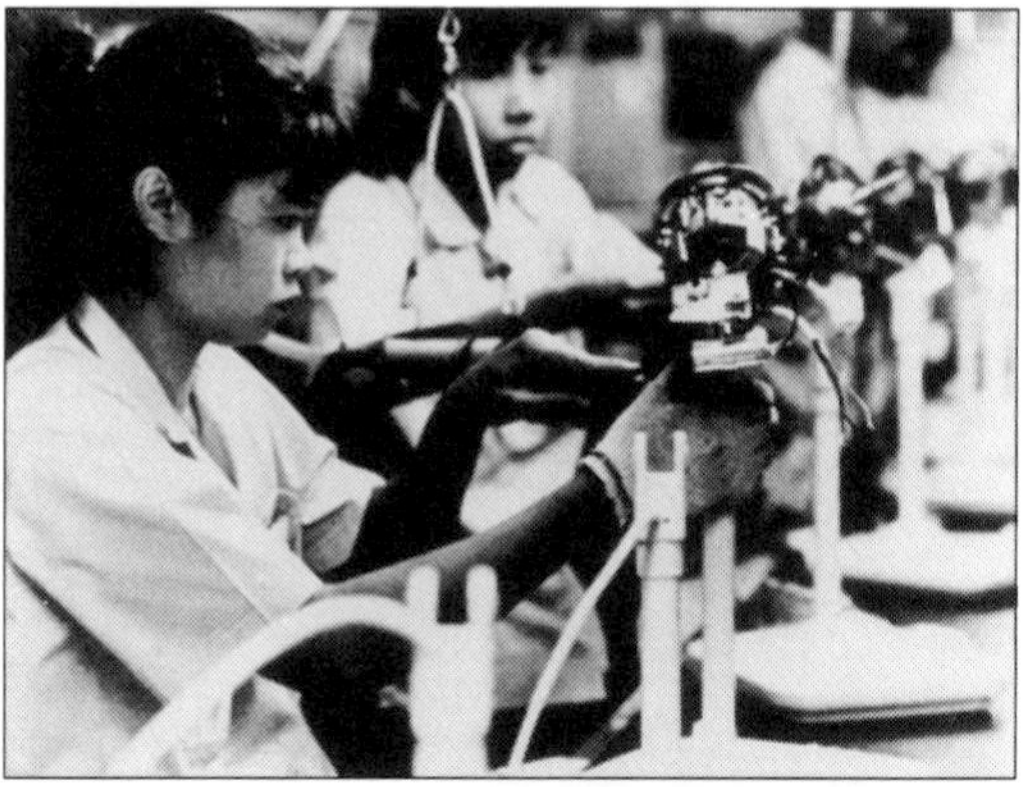

▶かつての東南アジアの反日運動も今や消滅。この背景には、華僑《かきょう》の人々の対日観の変化があった
▲日本企業の東南アジア進出は、現地に中流階級を産みだすという多大な貢献をした

の残虐行為」などと騒ぎ立てるのは、まったくの筋違いなのである。

もちろん、スパイでもゲリラでもないのに、処刑された気の毒な人たちもいたであろう。しかし、戦場の兵士にはゲリラ（便衣隊《べんいたい》）と一般市民の区別はつかないのだ。されば こそ、陸戦に関するハーグ条約（一九〇七年締結）でも、遠くからでもはっきり見分けのつく軍服を着ていることを交戦者の資格として定めているのである。

しかし、そうは言っても、実際に処刑された華僑たちの家族が日本を怨《うら》む気持ちになっても、これは当然であろう。それはまことに遺憾なことには違いない。しかし、重ねて言うが、それは日本が謝罪する性質のものではないのだ。

華僑の対日感情が好転した理由

大戦後、東南アジアで起きた反日運動の中心になった人たちは、このような華僑の家族であったのは、言うまでもない。

ところがその後、一〇年、二〇年と経《た》つうちに、彼らが理解したことは、日本の企業やビジネスマンと義理固く付き合っておれば、かならず繁栄できるということであった。日本と付き合うことなくして「致富《ちふ》の道」はないと、ビジネスを通して大いに実感した。

これによって、彼らの心はしだいに融《と》けていき、反日運動が消えてなくなったのである。

そして、この事実は、結局のところ、諸外国との友好を深めようとして、いろいろな策を弄《ろう》するよりも、海外の人たちと〝信用第一〟に商売をともに進めていくことのほうが、やはり長い目で見て、本当の信頼関係を獲得できるということを示しているようである。反日運動の消滅は、今後とも、その方針を変える必要のないことを教えてくれているのである。

また、時間が経てば「戦場になった」という直接体験よりも、「独立国になった」という歴史的意味のほうが、ますます重んじられてくるであろう。

訪日されたオランダの女王陛下も含めて、日本が南方で犯した行為を反省しろという意見がある。シンガポールのリ・クワンユー前首相も、そのようなことをテレビで言っておられたし、それを主張する反日的日本人もいる。

しかし、「では、植民地のままでよかったのか」という反論が、冷静な頭にはますます受け容れやすくなるであろう。

昭和三十年代のはじめ（一九五〇年代中ごろ）にドイツに留学したとき、東南アジアからの留学生たちとも親しくしたが、本物の現地出身者は（戦後、間もないにもかかわらず）、日本に概して好意的であった。「独立」ということを意識していた人たちが、そうであっても少しも不思議ではない。

ただ、戦場の被害を受けたところでは、平和な「植民地時代」のほうがよかったと感じた人も

いたと思うが、それこそ、まさに植民地根性に染まった人たちであろう。だが、そういう人たちの子孫も、「独立」ということに重点を置くであろうことは、疑いを容れない。

日英関係に刺さっていた〝トゲ〟

最後にヨーロッパとの関係であるが、これは、おそらくイギリスを中心として展開するのではないかと思われる。

日英関係が良好であったときには、日本はひじょうに幸福な状態にあった。また、逆に日英関係が悪化したときには、日本は不幸になった――これはつねづね岡崎久彦《おかざきひさひこ》氏（元駐タイ大使）などが指摘される事実であるが、同じことは、イギリスの側にも言えるのではないだろうか。

たとえば、第一次世界大戦によって日英同盟が破棄されるまでは、日本との同盟関係を利用して、イギリスはアジアで多大な利益を上げることができた。ところが、第二次大戦において日本と戦ったために、イギリスは結果的にシンガポールなどの植民地を失ったばかりか、帝国は解体し、国力を完全に消耗して、経済的に二度と世界のトップの座に戻ることができなくなってしまった。

このように日英両国の利害が一致しやすいという傾向は、第二次世界大戦後にも見られるようである。これはひとつには、両国がともに島国であること、さらに両国とも、アメリカという大

国と海を隔《へだ》てて隣《とな》りあう地理的関係にあることなどが、大きく関係しているためであろう。

この意味で日英両国が親しくするのは、当然の結果とも言えるのだが、戦後永らく、それを邪魔する大きなトゲが刺さっていたのである。

それは、ビルマで日本軍の捕虜になったイギリスの古い軍人たちであり、彼らは戦後、反日運動を進めてきた。

彼らは、きわめて劣悪な条件のもとに収容され、かつ強制労働をさせられたりした。そして最も彼らのプライドを傷つけたのは、彼らがそれまで蔑《さげす》んでいた原住民の前で、日本人の監督のもとに、働かされたことであった。

この怨みは強く残っており、戦後の日英の友好関係の節目《ふしめ》ごとに、それを妨《さまた》げる大きなマイナスの力として働いてきたのである。

たとえば、昭和天皇が亡くなられたときも、それまでの親善関係から言っても、エリザベス女王かチャールズ皇太子が御大喪《ごたいそう》に出席するはずであった。ジョージ六世陛下の御葬儀には、日本の皇太子殿下（今上天皇）が参列されているのだから、それが当然である。

だが、これにビルマの元捕虜たちが反対したために、それを無視することができず、結局、英国王室にとって入り婿《むこ》に当たるエジンバラ公が参列されることになったわけである。

このようなことは、それ以前からもずっと起こっており、これが日英の友好関係を進展させる

うえで、微妙な影を落としつづけてきたのである。

元捕虜たちを愕然《がくぜん》とさせた「ある事実」

ところが、このトゲが、あるハプニングによって、一挙に解決されたのである。

ことの始まりは、一九九〇年に、日本のある財団の後援で、ビルマの戦場で戦った日英の元軍人たちの交流の会が催されたことであった。

ちなみに、以下の話は、そのときのイギリス側団長として来日したルイ・アレン氏などから直接聞いたものである。

このルイ・アレンという人は、元来はフランス語を専攻する学徒であったが、戦争中は日本語の語学将校となり、ビルマ戦線に派遣されていた。

彼は捕虜に対する尋問などの仕事もしたのだが、中でも日本軍将校が残していった紙片を分析して重要な日本軍の作戦を探知し、ビルマの日本軍にとどめを刺すような武勲を挙げた人物でもあった。

ただ、彼の場合、捕虜になったことがないために、日本に対して個人的怨みはまったくなかった。それどころか、日本の捕虜などを尋問したりしているうちに、日本人の教養の深さとか日本の歴史の面白さ、さらには日本人そのものに対する興味を掻《か》き立てられ、最後にはイギリス・日

本学会の会長になった。

さて、日本にやってきて、ビルマ派遣軍の元日本兵たちと会話をしているうちに、イギリスの元兵士たちは愕然《がくぜん》とするような事実を、偶然に知ったのである。

それは、ビルマでイギリスの捕虜を監督する立場にあった日本の兵士たちのかなりの人数が、戦後、B級・C級戦犯として現地で死刑になったという事実である。

これは、イギリスの元兵士たちのまったく知らなかった話であり、彼らはみんなショックを受けた。彼らにとって、あのとき監督していた日本兵たちが死刑になったなどということは、誰一人想像できない事実だったからである。

「たしかに、自分たちは日本軍の捕虜になっている間、過酷な取扱いは受けた。だが、それを監督する日本の兵隊たちも別に贅沢《ぜいたく》なことをしていたわけではなく、同じように腹を空《す》かせて、同じようにマラリアに苦しんでいた。それなのに、なぜ彼らは死刑にならねばならなかったのか。彼らは、死刑になるほど悪いことはしていない」と、何人もの旧英国軍人が驚きの言葉を口にしたという。

そして、イギリスの元兵士たちは、戦犯にされた日本兵の霊を慰めたいと言い出し、次の日、彼らは靖国神社に参拝したという。

かくして、この前の戦争によって日英の間に突き刺さったままであった〝最後のトゲ〟は抜か

れたのであった。

対ヨーロッパ外交の足がかり

一九九一年に、ジャパン・フェスティバルという日本文化を広報する催しがイギリスで行なわれた。日本の大相撲もイギリスに行き、プリンス・アルバート・ホールで大々的な興行をやり、非常な好評を得たのは記憶に新しい。

しかし、もしビルマの元捕虜たちのあの〝トゲ〟が抜けていなかったなら、彼らは、プリンス・アルバートの名前が付いたホールで、あの日本の「裸スポーツ」など許すはずがなかったであろう。彼らは従来どおり、ホールの前に坐《すわ》りこんだにちがいない。旧ビルマ派遣軍兵士たちの、こうした行為に対してイギリス人は、まことに「弱かった」のである。あるいは、それ以前に、ジャパン・フェスティバルそのものの開催も危ぶまれる事態が出来《しゅったい》していたかもしれない。

もちろん、この他にも、サッチャー前首相の賢明な選択によって、日本企業の多くがイギリスに渡ったということなども、日英関係の将来に明るい光を与えている。日本企業の英国進出は、イギリスの失業問題を解消する一助となり、しかもイギリスの先端的産業が活気づくことによって、イギリスがEC統合において強い立場で参加できる基礎を築いたのである。

これは日本にとっても、他のヨーロッパ諸国との良好な関係を築くうえで、イギリスという有

力な仲間が手助けをしてくれることを意味しているのである。ECが統合しても、日英協調があれば、日本が締め出されることはない。

ECの中には、日本の進出の隠れ蓑《みの》という意味で、イギリスを「トロイの馬」と非難する声もあるが、それを言うなら、ヨーロッパにとってアメリカも日本の「トロイの馬」である。アメリカで生産された日本車がヨーロッパ市場に輸出されているのは、あまりに有名な事実である。

結局、経済関係に戦争の比喩は合わないのだ。

イギリスを日本の「トロイの馬」と考えるよりも、むしろヨーロッパに日本の活力を流しこむパイプ役だと考えるべきであろう。戦後の日本と提携しなかった国や地域に進歩や繁栄がなかったことは、厳然たる事実なのであるから。

ソ連や東欧圏と日本とのあいだに、二〇年前、否《いな》、一〇年前の段階で、提携可能な関係があったら、今のような惨《みじ》めなことには、なっていなかったであろう。同じように、ECも活力を求めるのであれば、日本との関係を密にすべきなのである。

このように考えていくと、今後数十年という短期的な予測においても、日本の将来は明るい。

もちろん、この予測はすべての可能性を網羅《もうら》したものではない。

たとえば中国が突然、航空母艦を造って軍事大国化してゆき、日本に軍事的圧力をかけるというシナリオも考えられないわけではない。

だが、本稿はあらゆるシナリオを想定する場でもないし、また、そのような突発的な事件が起きても、途中で修正する大きな力が働くのではないかと、充分予測できるのである。

「世界は四つの層に分かれる」

一連の短期的予測をお伝えした締めくくりとして、数年前に「ロンドン・エコノミスト」誌（一九八六年十月二十五日号）に掲載された「二十一世紀の世界経済」に関する予測をご紹介しておきたい。

同誌は、私が三〇年以上も愛読している雑誌であるが、その短期予測の的中率は、他誌の予測と比較にならないほど高いものがある。

その予測によれば、二十一世紀において、世界の国家は四つの層に分かれるという（ただし、この場合、解体途上の社会主義圏は除かれている）。

そして最上部の第一層には、唯一、日本があるのみであり、第二層にはEC、アメリカ、カナダ、オーストラリアなど、いわゆる白人先進国圏が入るとする。そして第三層にはNIES、ASEAN、ラテン・アメリカなどがあり、第四層にはアフリカなど、いわゆる第三世界の国々が属するとされている。

この各層ごとの予測を述べれば、まず、第四層の第三世界諸国は二十一世紀に入っても、当分

これといって明るい展望はない。また、日本のほうは二十一世紀に入れば、現在悩んでいる経済摩擦から卒業できるだろうとされている。そして、二十一世紀に経済摩擦と言われるものは、おそらく第二層の白人先進国圏と第三層のＮＩＥＳ、ＡＳＥＡＮ圏との間に起こるものだと予測されている。

これは、日本人にとっては、じつに気持ちのいい、甘美な予測であって、私も最初に読んだ時は、あまりにも日本に都合がよすぎて、ちょっと眉唾《まゆつば》もののような感じがした。が、それからわずか数年の間の世界の情勢を見ていると、どうも現実の歴史の進行のほうも、その予測にどんどん近づいているような実感を持つのである。

競争から協調への転換期

アメリカの「ビジネス・ウィーク」誌のカバー・ストーリー（特集記事）を読んでいたところ、次のような趣旨のことが書かれていた。

それは、アメリカの代表的なパソコン会社の幹部に対するインタビュー記事で、その中で「ビジネス・ウィーク」の記者が、日本との競争には勝てそうですかという質問をする一節があった。

これに対して、この幹部は、「いや、日本とはもはや競争はないのです。競争《コンペテション》ではなく、わ

れわれは協調《コラボレーション》しているのです」と明言しており、これはじつに印象的であった。

具体的にはどういうことを指しているかと言えば、たとえば携帯用パソコンのディスプレイ（表示板）は液晶で造られている。だが、いま液晶を製造できる国は日本しかない。だから、日本のメーカーから提供してもらう。また、コンパクトで正確なディスク・ドライブ（外部記憶装置）も、日本製が最も安心できるものであり、したがって、これも日本に注文するというのである。

結局、日本がハードを提供し、彼らは主として設計図などのソフトを提供するという協力関係にあるということらしい。

これはまさに「ロンドン・エコノミスト」誌の予測どおり、日本の貿易摩擦が解消される方向に進んでいる証《あかし》ではないだろうか。しかもその解消の方向は、日本が最先端のハードウェアを握るという、圧倒的な優位の形での協調関係なのである。

また、これ以外にも日米のメーカーが半導体生産に関する提携をしたといった種類のことは、日常茶飯事《さはんじ》のように起きている。実態はどのような話で進んでいくのか、これは始まってみなければ分からない問題であるが、現実にモノを造るのは日本の役割に違いなく、日本が絶対的に有利な形での協力関係であろうと、充分に期待することができるのである。

最後に重要な点を、もうひとつ付け加えておきたい。それは、日本の金融の力である。

まだ国家がない時代から金融力を有していたユダヤ人は、戦前の自由主義国では強い力を持っていた。ヒトラーはそれを敵に回したのである。

日本は、戦時中もユダヤ人を迫害せず、むしろ保護した例が目立つ。日本在住のユダヤ人で、ユダヤ人であるがゆえに財産を失ったものは一人もいない、とイギリスで知り合ったユダヤ人実業家は言っていた。これは、日本にとって幸福なことである。ユダヤ人は、日本人の味方と考えてよいであろう。

金融力は、国を失ったユダヤ人のような民族でも、長い間保持できるものである。

日本の金融界の力は、銀行、生保、簡保、郵貯等々、世界に冠絶している。現在（一九九二年）でも、個人の預貯金の総計は八〇〇兆円を超える。昨年度だけでも、約五〇兆円の増加になるという。

過去の歴史を見ても、金融の優越性はきわめて長期にわたる性質のものである。いわんや、一億以上の人口を持ち、世界で群を抜いた貿易黒字を持つ日本の金融界の将来性を考えると、それだけでも長期の明るい見通しを立てるうえで、大きな要因になると言ってもよいであろう。

本書において、私はコロンブスの新大陸発見以後、今日までの日本の運命を語り、そして長・短期にわたって日本の将来の姿を予見してきた。

それは、あくまでも「虹」である。だが、その虹は私にはじつにくっきりと見えるのだ。そして、その虹の向こうに、世界の師としてメッセージを送りつづける日本の姿も、私の眼には確たる姿で映っているのである。

著者へのメッセージ

きりとり線

本書をどこでお知りになりましたか？

	書店の店頭で見て		知人のすすめで
(	)新聞の広告を見て	(	)誌の広告を見て
(	)新聞の書評を読んで	(	)誌の書評を読んで

ご住所	
お名前	
年齢	
ご職業	

読者のみなさまにお願い

本書をお読みになって、どのような感想をお持ちになりましたでしょうか。右の「著者へのメッセージ」欄に、寸評を書いて、下記までお送りください。

著者および編集部の今後の企画の参考にさせていただきます。

また、あなたからの「著者へのメッセージ」を、新聞・雑誌上で紹介させていただいた場合、些少ですが、お礼として全国共通図書券をお届け致します。

〒一六二　東京都新宿区改代町四二　金森ビル
クレスト社編集長　佐藤　眞

きりとり線

かくて歴史は始まる
逆説の国・日本の文明が地球を包む

平成4年11月10日　初版第1刷発行
平成6年3月5日　第13刷発行

著者　渡部昇一《わたなべしょういち》

発行人　●打田良助
発行所　●株式会社クレスト社
〒162 東京都新宿区改代町42
☎03(3260)0963（営業）
☎03(3260)0950（編集）
印刷所　●慶昌堂印刷株式会社
製本所　●慶昌堂印刷株式会社

万一、落丁・乱丁がありました場合は、お取り替えします。

ISBN4-87712-001-7 C0030
Printed in Japan